Ô PAYS, M

METHUEN'S TWENTIETH CENTURY FRENCH TEXTS

Founder Editor: W.J. STRACHAN, M.A. (1959–78)
General Editor: J.E. FLOWER

ANOUILH: *L'Alouette* ed. Merlin Thomas and Simon Lee
BAZIN: *Vipère au poing* ed. W.J. Strachan
BERNANOS: *Nouvelle Histoire de Mouchette* ed. Blandine Stefanson
CAMUS: *Caligula* ed. P.M.W. Thody
CAMUS: *La Chute* ed. B.G. Garnham
CAMUS: *L'Étranger* ed. Germaine Brée and Carlos Lynes
CAMUS: *La Peste* ed. W.J. Strachan
DE BEAUVOIR: *Une Mort très douce* ed. Ray Davison
DUHAMEL: *Souvenirs de la Grande Guerre* ed. A.C.V. Evans
DURAS: *Moderato cantabile* ed. W.J. Strachan
DURAS: *Le Square* ed. W.J. Strachan
ETCHERELLI: *Élise ou la vraie vie* ed. John Roach
GENET: *Le Balcon* ed. David Walker
GIRAUDOUX: *Electre* ed. Merlin Thomas and Simon Lee
GISCARD D'ESTAING: *Démocratie française* ed. Alan Clark
LAINÉ: *La Dentellière* ed. M.J. Tilby
MAURIAC: *Destins* ed. Colin Thornton-Smith
ROBBE-GRILLET: *La Jalousie* ed. B.G. Garnham
SARTRE: *Huis clos* ed. Jacques Hardrè and George Daniel
SARTRE: *Les Jeux sont faits* ed. M.R. Storer
SARTRE: *Les Mains Sales* ed. W.D. Redfern
SARTRE: *Les Mots* ed. David Nott
TROYAT: *Grandeur nature* ed. Nicholas Hewitt
VAILLAND: *Un Jeune Homme seul* ed. J.E. Flower and C.H.R. Niven
CONLON (ed.): *Anthologie de Contes et Nouvelles modernes*
HIGGINS (ed.): *An Anthology of Second World War French Poetry*
KING (ed.): *Albert Camus:* Selected Political Writings
MORTELIER (ed.): *Anthologie Prévert*
SCOTT (ed.): *Anthologie Éluard*

METHUEN'S TWENTIETH CENTURY TEXTS

Sembène Ousmane

Ô PAYS, MON BEAU PEUPLE!

Edited by

Patrick Corcoran, M.A., Ph.D., A.K.C.

Methuen Educational Ltd

First published in 1986 by
Methuen & Co. Ltd
11 New Fetter Lane, London EC4P 4EE

Printed in
Great Britain by Richard Clay,
The Chaucer Press, Bungay, Suffolk.

British Library Cataloguing in Publication Data

Ousmane, Sembène
Ô pays, mon beau peuple! –
(Methuen's twentieth-century texts)
I. Title   II. Corcoran, Patrick
843   PQ3989.08

ISBN 0-423-51350-8

CONTENTS

ACKNOWLEDGEMENT

The editor and publishers are grateful to Les Presses de la Cité for permission to reproduce the text in this edition.

Qu'est-ce donc que vous espériez, quand vous ôtiez le bâillon qui fermait ces bouches noires? Qu'elles allaient entonner vos louanges? Ces têtes que nos pères avaient courbées jusqu'à terre par la force, pensiez-vous, quand elles se relèveraient, lire l'adoration dans leurs yeux? Voici des hommes debout qui nous regardent et je vous souhaite de ressentir comme moi le saisissement d'être vus.

J-P. Sartre, (1949) 'Orphée Noir', *Situations iii*,
Gallimard, Paris, p. 229.

INTRODUCTION

THE AFRICAN BACKGROUND

ORAL TRADITION AND THE NOVEL

The West African novel is a twentieth-century phenomenon, grafted onto a European literary form which has evolved over centuries. Unlike poetry or drama, it has no roots in any African literary tradition that can be considered culturally equivalent. The reason for this is simple: until relatively recently, with the arrival of literacy, Africa possessed no literature whatsoever. This is not to say that, as a preliterate society, Africa was awaiting enlightenment from the North. On the contrary, an ancient and highly-structured oral tradition was in place which the arrival of the literate traders and missionaries has done much to destroy.

African oral literature differs from the European written tradition in numerous ways, but above all in the fact that it is a collective undertaking. The recital of an epic poem or mythological narrative around a village fire becomes a social event requiring an active participation by the listeners and, generally, a musical accompaniment. As a result it is a fluid, spontaneous literature and no two performances of the same piece can ever be the same. Another major difference is in the attitude to communication which oral, face-to-face literature implies. Whereas the written word can serve private functions and employ private codes, the social origins of oral literature and the conditions in which it is performed presuppose a directly communicative intent, just as they assume a common ground of experience and values among its producers.

The 'griots', or bards, of West Africa fulfil a vital role within the community (see note to p. 88) precisely because the oral tradition endows its literature with such a clear and important social function. The epic tales are, at one and the same time, family trees of heroic individuals and rulers, and tribal histories. From time immemorial the skeleton of the tales has been learned by heart and transmitted from generation to generation. Deprived of the 'griot', the community is deprived of its own history. Given the African's strong sense of kinship and a widespread belief in the cult of the ancestors, a community which is deprived of its history suffers an acute spiritual loss. But it is not merely the epic narratives which are related to the everday lives and beliefs of the community. Other genres have a similar dynamic relationship with day to day experiences, as Lilyan Kesteltoot points out:

> considering that the epic is both tribal history and genealogy; that the cosmogonic narrative contains basic, religious myths; that mourning or marriage songs, harvest and hunting songs are prayers; that the folktale is a moral lesson, and the proverbs an article of law – this literature becomes as a whole a receptacle and vehicle of culture itself, of the principle institutions on which traditional societies rest. African stories are teeming memorials transmitting both codes of wisdom and ancestral experience.[1]

The relationship between the community and the oral literature is a living and creative one. On the one hand, despite the existence of the 'griots', the community as a whole assumes a creative responsibility in the 'performance' of its 'texts'. On the other hand, the moral content of proverbs and folk-tales, the religious significance of the mythological narratives and more functional songs inform and enrich the daily lives of the people in a way that cannot be true of Western literature.

There can be no doubt, then, about the role which oral literature plays in traditional village communities. What is less clear is the relationship between the novel as a literary form and the indigenous oral traditions. Modern African poetry and drama can both be seen as extensions into writing of oral activities which form part of the texture of African life. The novel alone has no such direct relationship with anything that Africans had previously known. The novelists who have emerged in West Africa in recent years have done so under the influence of foreign cultures. The ambiguity of their position stems partly from a dilemma about the language in which they write. As Sartre remarked almost forty years ago: 'Quand le nègre déclare en français qu'il rejette la culture française, il prend d'une main ce qu'il repousse de l'autre'.[2] The problem is exacerbated when the literary form in which he is working is itself an alien form requiring the forging of an entirely new relationship between the artist and his public.

The lack of any generic thread linking the oral tradition with the novel does not imply a complete divorce between the two, however. This is true for two reasons. In the first place, the oral tradition has not been destroyed, but merely damaged, by the pull of European culture. One critic, Emmanuel Obiechina, argues this point strongly, citing the continuing relatively low literacy rate in West Africa, the fact that 'at least three out of every four West Africans live in traditional village communities or traditional urban settlements',[3] and, perhaps most important of all, a belief on the part of all Africans, illiterate and educated alike, that the oral tradition is valuable and worth a conscious effort to preserve.

The second reason is that the oral tradition is not merely a matter of formal expression but a question of consciousness and mental attitudes. Oral literature is a fundamentally practical activity in the sense that it accompanies actions: hunting, farming, fishing, nursing babies, performing household tasks and religious rituals. It can be seen as a way of controlling the environment as well as of reacting to it, and a way of expressing a particular world-view as well as of ensuring the greater cohesion of the group by reinforcing its values.

The practical nature of this literature is diametrically opposed to the tradition of the novel in the West, where, at one extreme, in Romantic fiction, it is a mere amusement, and at the other extreme, in 'serious' literature, it is the preserve of an intellectual and cultivated élite. But something of this practicality has certainly carried over into the West African novel. What Chinua Achebe, Hamidou Kane, Mongo Beti, Ferdinand Oyono, Ngugi wa Thiong'o, Camara Laye, Sembène Ousmane and other major exponents of the novel have in common is a deep sense of social commitment. This is not to say that they all hold the same political views, or are all involved in veiled propaganda. It is something deeper and subtler. Their work is rooted in a commitment to the group whether it be considered as a racial, national or tribal entity. Even in exposing the alienation of the individual (brought on by exposure to Western ways of life) it is by reference to a homogeneous African cultural reality that it is documented and analysed. Nor, like so many of their European counterparts, do West African novelists write in a spirit of individual revolt and an atmosphere which has been categorized by Nathalie Sarraute as one of 'suspicion'.[4] Revolt and suspicion may be present in their work, may even be the subject of their work, but it is never the metaphysical angst of the individual at odds with his age. It is the revolt of one group against another, suspicion of one group by another, and always, implicit or explicit, a highly developed sense of community acts as a reference-point if not as an ideal. As the South African writer, Ezekiel Mphalele puts it:

> The African hero is still very much part of a communal world. I can't even be sure that we shall stay out of Kafka's and Camus's world for all time. I am inclined to stake a lot on the dialogue that is continuing between the

stream of modern life in Africa and the stream of *living* traditions. Each is informing and criticising the other, and this dialogue may yet determine the idioms of the literature to come.[5]

The West African novel grew up in an era of colonial rule and found its voice by examining and dramatizing the social consequences of colonial administration. It would be tempting to claim that the novel played an important role in the pre-1960 campaign for Independence, but given the relations existing between the writers and their public, the level of literacy, and the problems associated with writing in a 'foreign' language, it would be truer to say that the novel reflected the course of events rather than influenced it in any profound way. Mphalele's doubts about the future are natural. But what can be said with certainty is that, in its general ethos and in the themes it chooses to deal with, the novel has forged strong links with the spirit of African oral literature. No doubt its further development will continue to reflect an essentially social rather than individual reality.

NÉGRITUDE

No description of the background to the literary scene in West Africa, especially in Senegal, could be complete without mention being made of the concept of *négritude*. It is of particular relevance to Senegal because one of the most articulate voices outlining the concept was that of Léopold Sédar Senghor, poet and statesman, and native of Senegal. As a young student in Paris in the 1920s, Senghor came into contact with blacks from other colonies. Two friendships in particular were to prove a catalyst for ideas which had far-reaching consequences. The first was with Aimé Césaire of Martinique, and the second with Léon Damas of French Guiana. Each of the trio was to become a prominent poet in his own right. As a group, they shared a belief in the uniqueness of black civilisation and a common desire that it should be freed from the constraints imposed upon it, in order to make its own peculiar contributions to world culture.

The concept of *négritude* [6] is a formulation of the belief that the black personality differs from that of other racial types and has characteristics which should find expression, even celebration, in the work of black artists. There has been much debate as to what these characteristics are, and a good deal of questioning of the racial element inherent in the theses of *négritude*. The characteristics which Senghor stressed were the innate sense of rhythm, the musicality and the vitality of the African. Add to these a cultural gloss in terms of an emphasis on black customs and traditions, and place the whole in an African, West Indian or other setting, and the main features of *négritude* art are in place.

It is clear that the perspective of the *négritude* movement is one which places the emphasis on *difference*. Blacks are different and it is this difference which seizes the attention of the artist and informs his work. There is a considerable amount of latent racism in such an attitude. Sartre was not slow to recognize and approve the 'racisme anti-raciste' of the movement.[7] An alternative view is that blacks are different but that they are also fundamentally the same. Criticism of the spirit of *négritude* has revolved around the view that Art should be concerned with the human condition. The joys and the problems associated with 'being black' are one aspect of the human condition and valid subjects of artistic endeavour, but attempts to isolate 'blackness' and to set it up as the sole criterion of value seem closer to propaganda than Art.

In terms of literary value, *négritude* is a dubious concept. But it cannot really be understood in a historical vacuum. It is natural that the emergence of a nationalist movement in the political sphere should be accompanied by, and fuelled by, an upsurge in nationalism in other spheres, the artistic included. *Négritude* can be seen as an attempt by black artists to redress the balance in their favour. The stereotype of the African prevalent in Europe prior to the 1930s was that of a primitive and irrational being. To compensate for a 'national' or racial inferiority complex, Césaire, Damas and

Senghor reacted with a proclamation of the superior values of black civilization, and a very positive and optimistic appeal for self-confidence on the part of blacks. It goes without saying that they address themselves simultaneously to a criticism of the impersonal, mechanistic and individualistic civilization of the developed West. In the 1930s and 1940s, *négritude*, whether as a stimulus to artists, ethnologists or sociologists, was quite an effective ideological reaction to the Empire-building mentality of the French colonialists. As an ideology, it fulfilled an important function, and certainly played an important part in allowing blacks to see their own aspirations as legitimate, and to evaluate their own position in the world in a more positive way.

Since 1960, and the arrival of Independence for many African states, *négritude* has been largely deprived of the impetus which it received from the enforced subordination of blacks to whites. Political freedom and the right of self-determination have resulted in a certain softening of attitudes. Africans perhaps no longer feel the need to assert themselves by reacting so stridently against European values. Possibly too, the hard line does not serve the purposes of the ruling élites as it did prior to their arrival in power. The ideological stance inherent in *négritude* now seems both more apparent and less attractive.[8]

It should perhaps be pointed out that *négritude* as a movement was popular only in francophone areas of Africa. In the anglophone regions a less systematic and less ideological approach to the African personality was preferred. As Obiechina suggests, this is no doubt due to the fact that the colonial policies in Britain and France differed greatly.[9] Britain favoured 'indirect rule' and a type of separate development which, for all its faults, at least allowed a higher degree of liberty to the Africans in terms of the use of African languages in education and other types of cultural self-expression. Territories ruled by France, on the other hand, adopted a policy of assimilation according to which natives of the colonies could aspire to equal status, in political and educational terms, with whites. The theory behind assimilation had much to recommend it but, in practice, France was never really prepared to open its doors indiscriminately to Africans.

The policy of assimilation has had, and continues to have, many consequences for the lives of those people who came under its influence. In the first place, it meant that French culture, traditions and history were assumed to be relevant to the indigenous African populations. Such an education system as existed in Senegal was authentically French, and led on, for a small minority of successful pupils like Senghor, to higher education in mainland France. The promotion of French culture, which was a direct result of this policy, went hand in hand with a corresponding devaluation of African culture, which was held in low esteem when not entirely ignored. The road to success passed through Paris, and it is in this fact, that the paradox of *négritude* is most easily grasped. The methods of French culture and the language of France were the only tools available to those who had earned the opportunity to champion African values. Indeed, the *need* to champion African values was only so strongly felt because of the stranglehold of French culture on its colonized peoples.

In many ways then, *négritude* is a typically French phenomenon. The Gallic taste for manifestos, schools and movements in literary life finds its expression in the systematic promotion of African values. Hence, the paradoxes of *négritude* mirror the paradoxes in the life of Africans like Senghor, who had been led to believe in their Frenchness only to find on their arrival in France that virtually no one else did. It is almost as though the whole intellectual edifice of *négritude* is built on a sense of revolt against the broken promise of assimilation, rather than true revolt against French values. As Gerald Moore writes of Senghor:

> Senghor is not only the leading theoretician of negritude, of the black personality and its unique qualities, but also

> one of the leading practitioners of those black policies which often tie Dakar, Abijan and Libreville so intimately to France that they sometimes seem only a Métro ride from Paris, rather than so many thousands of miles on the map.[10]

It is not surprising that Sembène Ousmane's vastly different background should lead him to very different perceptions of *négritude*. In so far as the movement interests him at all, he has little but criticism to offer. He recognizes the contribution of the movement prior to Independence: 'There was a time when negritude meant something positive. It was our breastplate against a culture that wanted at all costs to dominate us.'[11] But speaking only five years after Independence, in 1965, he stresses the irrelevance of it:

> Négritude seems to me to have nothing solid about it . . . Other books refer to the emotion or the sensibility, or other phenomena, said to characterize the black races. I do not believe in this. There are things that do truly characterize the black races, I agree, but no one has yet worked out exactly what they are.[12]

This is typical of Ousmane. He rejects the tunnel vision and the inherent racism of *négritude*. For him, people are first and foremost people, and the colour of their skin is of secondary importance. It is as individuals, not as blacks or whites, that they commit their crimes and demonstrate their qualities. Such a view explains Ousmane's undiscriminating manner in choosing the targets for his satire and criticism, and his readiness to attack abuses of power by both whites and blacks. The crux of the matter is that *négritude*, once a revolutionary movement, ran the risk of becoming a form of mystification which disarmed any critic of blacks. This, and the overly theoretical nature of the movement, prompt Ousmane to a very down-to-earth comment: 'negritude neither feeds the hungry nor builds roads'.[13] The answer to

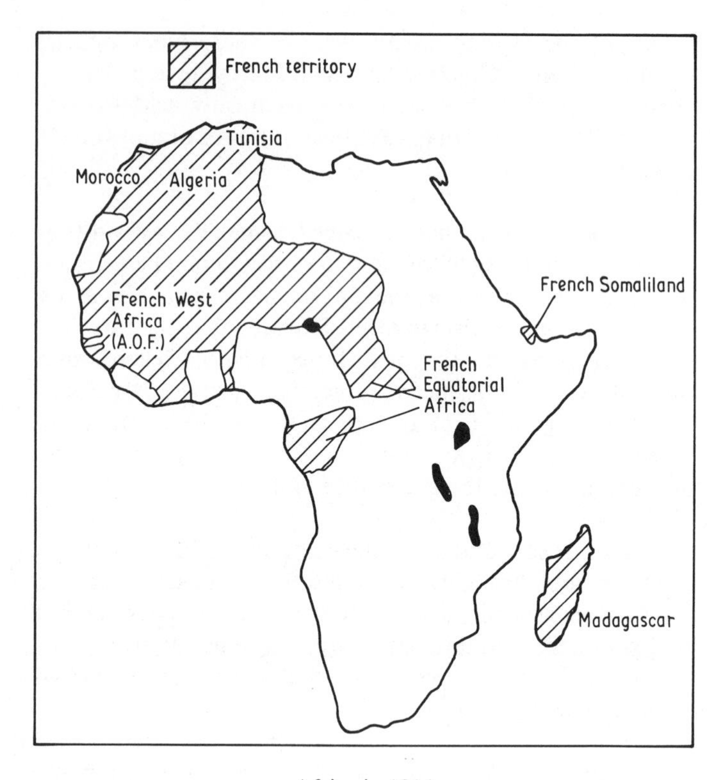

Africa in 1914

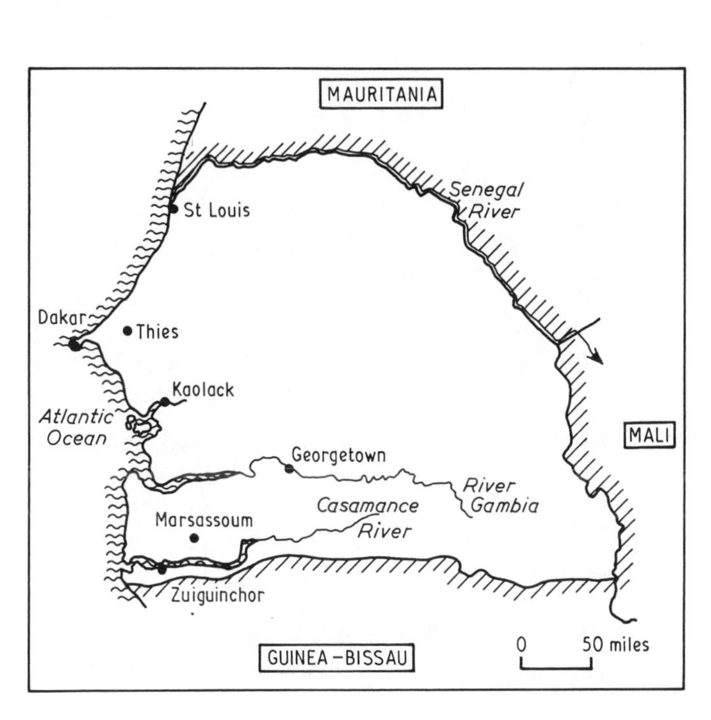

Francophone states in present-day Africa (1986)

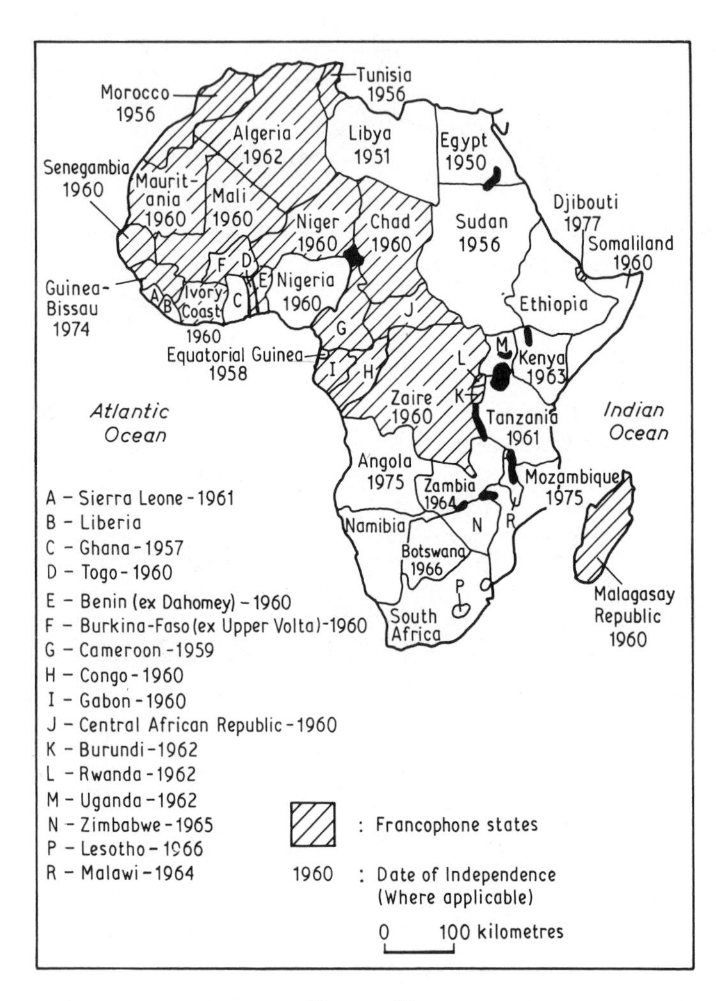
Morocco
1956
Tunisia
1956
Algeria
1962
Libya
1951
Egypt
1950
Senegambia
1960
Mauritania
1960
Mali
1960
Niger
1960
Chad
1960
Sudan
1956
Djibouti
1977
Somaliland
1960
Guinea-Bissau
1974
F
D
E
Nigeria
1960
A
B
Ivory Coast
1960
C
Ethiopia
G
J
Equatorial Guinea
1958
I
H
L
M
Kenya
1963
K
Zaire
1960
Tanzania
1961
Atlantic Ocean
Indian Ocean
Angola
1975
Zambia
1964
Mozambique
1975
Namibia
N
R
Botswana
1966
P
South Africa
Malagasay Republic
1960
A – Sierra Leone - 1961
B – Liberia
C – Ghana - 1957
D – Togo - 1960
E – Benin (ex Dahomey) - 1960
F – Burkina-Faso (ex Upper Volta) - 1960
G – Cameroon - 1959
H – Congo - 1960
I – Gabon - 1960
J – Central African Republic - 1960
K – Burundi - 1962
L – Rwanda - 1962
M – Uganda - 1962
N – Zimbabwe - 1965
P – Lesotho - 1966
R – Malawi - 1964
: Francophone states
1960 : Date of Independence (Where applicable)
0 100 kilometres

Senegambia

these problems will not be found in aesthetic theories. It will be found in continuing the struggle for social justice – a struggle which is at the very heart of Ousmane's work.

CONCISE RECENT HISTORY OF SENEGAL

1854 Louis Faidherbe appointed governor of Senegal by the French.

1857 Faidherbe attempts to make a road link between Dakar and St. Louis. Resistance to the move is organized by Lat Dior.

1864 Colony of Senegal comes into being.

—— Prior to the First World War there is considerable resistance to French influence. Intermittent fighting is led by Samoury-Touré and Lat Dior.

1886 Death of Lat Dior.

1895 French West Africa (L'Afrique Occidentale Française) comes into being as a Federation of Senegal, Guinea, Ivory Coast, Dahomey, Upper Senegal and Niger.

1898 Samoury-Touré is defeated by French forces.

1914 Blaise Diagne elected as the first black to represent Senegal in the French National Assembly in Paris.

1918 Diagne campaigns to recruit blacks into the Armed Forces.

1945 Léopold Sédar Senghor and Lamine Guèye elected to represent Senegal in the French National Assembly.

1947 Alioune Diop founds the review *Présence Africaine* in Paris.

1956 Semi-autonomy granted to the regions of A.O.F.

1958 Referendum held to determine whether Senegal should achieve independence.

1959 Attempts to form the Mali Federation (to include Senegal, Mali, Upper Volta and Niger) fail, leaving only Senegal and Mali in favour.

1960 Senegal achieves independence. Mali and Senegal separate into two republics.

1960 Senghor elected President of the Republic.
1980 Senghor resigns and is replaced by Abdou Diouf.
1981 Gambia merges with Senegal to form the Federation of Senegambia.

OUSMANE: THE MAN AND HIS WORK

Sembène Ousmane (Sembène is the family name) was born on 1 January 1923 at Zuiguinchor in the Casamance region of Senegal, West Africa. His father, Moussa, was a fisherman of Lebou extraction, and his mother was a Diola. As a result, Ousmane learned Wolof as a first language, although he was exposed to Diola and French at an early age. Wolof is spoken by about 40% of the population of Senegal, but is understood by about 75% and is therefore the *lingua franca* of the country after French.

Ousmane had neither a settled schooling nor a settled family life. His father was a Muslim and, although not polygamous, he divorced his wife when Ousmane was quite young and thereafter lived with a succession of women. Possibly to protect the boy from his own bad influence, Moussa sent his son to live with one of his brothers in the capital, Dakar. This uncle, or 'petit père', found Ousmane too much of a handful and quickly returned him to Zuiguinchor. He was then sent up-country to a second uncle, Abdou Rahmane Diop, at Marsassoum. Diop was a schoolteacher in the village and seems to have exerted a calming influence on Ousmane until his death in 1935. Shortly afterwards, Ousmane returned to Dakar and began to prepare for the *Certificat d'Études* which could be considered a passport into the lower orders of the French administration of the time. But in 1937 Ousmane was expelled, apparently for hitting the school principal, Pierre Péraldi, when asked to sing French patriotic songs!

Unlike other Senegalese literary figures, Léopold Séder Senghor or Cheik Hamidou Kane for example, Ousmane had only the most rudimentary education. Apart from the years spent at primary school and preparing for the *Certificat d'Études* (which he never sat) he had no formal education. Strictly speaking he is a self-educated man.

After his premature departure from the state education system he earned a livelihood in a variety of ways. His career as a fisherman was short-lived as he suffered from seasickness. This was followed by a period as a mason, in 1938, but the trade was not to his liking and he subsequently worked as a plumber and trained as a mechanic. It was during this period of his life at Dakar that his love of the cinema took root. Short of funds to pay for his seat in the local cinemas, it is said that he and a group of friends would often resort to causing a disturbance at the entrance in order to slip unnoticed into the auditorium.

Between 1938 and 1940 he seems to have gone through a period of spiritual crisis. For a while he was a fervent Muslim and even shaved his head. It is possible that the influence of his uncle Diop played a part in this conversion, as Diop himself had been something of a Muslim scholar.

In 1942 he enrolled in the French Colonial Army and saw action in Niger, Chad, North Africa and Italy. The end of the war found him at Baden-Baden from whence he returned to Senegal to be demobilized at Dakar. He was, in fact, the only member of his company to be discharged without a certificate of good conduct because of his resistance to military discipline, although a more colourful version has it that he struck an officer. After leaving the Army in 1946, he remained in Senegal and helped to organize the celebrated strike by the railwaymen of the Dakar-Niger line. His account of the strike, which he later published under the title *Les Bouts de bois de Dieu* (1960) remains one of his most highly-praised literary works.

In 1948 he set sail for Marseille on *Le Hoggar* - without a ticket. Unlike many of his compatriots travelling in similar circumstances, he was not invited to disembark at Casablanca but managed to bluff his way through to his proposed destination. By the autumn of 1948 he had reached Paris, where he worked for several months at Citroën, returning the following year to the warmer climate of Marseille where he began work as a docker and trade-union representative - a job he was to continue for almost a decade. During this period he travelled to Denmark, dabbled in painting and poetry and came under the influence of the group of African artists who had emerged as a more or less coherent group after the founding of the review *Présence Africaine* by Alioune Diop in 1947. Two important incidents seem to have led him to return to Senegal in 1957. The first was the publication of his first novel, *Le Docker Noir*, in 1956 - an event which allowed him to treat his growing literary aspirations more seriously. The second was a serious accident in which he suffered a broken back. Heavy work was forbidden and after some months convalescing in Denmark, he returned to Dakar. It is not without significance that *Ô Pays, mon beau peuple!*, the novel of homecoming, was published at this time (1957).

In the years which followed, Ousmane travelled widely. In 1958 he was in Tashkent in the USSR for the First Congress of African and Asiatic Writers. From there he travelled on to China and North Vietnam before returning to Senegal. In the late 1950s Ousmane was experiencing more and more acutely a problem felt by all francophone African writers. Convinced of the value of indigenous African culture, he found the literary form of the novel to be increasingly restrictive. The dilemma can be summed up thus: if the writer uses the medium of the African languages in order to reach the African public then his influence is minimal, partly because of the lower rate of literacy but partly also because there is no traditional novel-reading public in African states. If, on the other hand, he chooses to write in the language of the ex-colonialists, he is using a culturally foreign medium and the audience which he is reaching is not necessarily the one he would choose.[14] For these reasons, as well as through personal inclination, Ousmane was drawn more and more towards the cinema as a medium of expression which is universal in its appeal and which, by and large, by-passes the language problem.

In the early 1960s Ousmane sought financial support in order to learn the art of film-making. Applications for help from the United States, Canada, Czechoslovakia and elsewhere proved unsuccessful, but in 1961 the USSR accepted to fund him on a course at the Gorki Film Studios in Moscow. This is how Ousmane describes the experience: 'Je suis parti pour Moscou en 1961–1962. En trois mois j'ai appris la technique de la photographie, du cadrage . . . pas du tout de mise en scène. Puis j'ai fait mes propres petits films dans les rues de Moscou.'[15]

From this period onwards, Ousmane's career has been a dual one of writer and film-maker. His doubts about literature seem to have been vindicated in the sense that he is probably better-known throughout the world for his work in film than for his literary output. It would probably be misleading to divorce the two areas of activity in any rigorous way. His writing and his films are, in fact, complementary, and his success has been built on his ability to transpose material from one medium to the other. His methods of work owe much to the African artisanal tradition, in that he not only writes his own screenplays and has produced and directed his own films, but has even acted in them (in *Emitaï*, for example). A good number of his films are adaptations of work which appeared first in a literary form. *La Noire de . . .*, *Le Mandat* and *Xala* fall into this category. It is noticeable that the films which do not rely on previously published material (*Emitaï* and *Ceddo*, for example) are peculiarly African in inspiration and would prove more difficult of access to an uninformed European audience. Ousmane seems to have gone a long way towards solving the dilemma facing the African artist referred to above.

The contribution which Ousmane has made to African literature is enormous and could have been made only by a man of his peculiarly lowly background. One danger facing African artists is a danger which Europeans will possibly find difficult to appreciate. It revolves around the education system which produces the intelligentsia and the literary élite. However vociferous the revolt, and however articulate the defence of African values proposed by a writer such as Senghor or Kane, they remain products of the essentially European, and therefore essentially alien, education system through which they have passed. There is always an element of inauthenticity about the pretensions of such successful blacks to express the views and preoccupations of the man in the street.[16] The question must always be asked: are they expressing African concerns or are they imposing their private concerns upon the people of Africa and passing them off as general issues? There can be no doubt that Ousmane has remained closer to his roots than Senghor, the first president of the republic, or Cheik Hamadou Kane, at present a member of the Presidential Council.

The point at issue here is not at all a question of literary value or artistic merit. The work of Senghor and Kane is of the highest quality and bears comparison with the poetry or fiction of writers of any nation. What is at issue is the social content and cultural direction of their work. Almost by historical accident, in the aftermath of colonial rule, African writers find themselves having to face up to concerns of a socio-political nature before they can make any statement about their own culture. Perhaps this is a truism which applies to all artists. Nevertheless, indigenous African culture was for so long a second-class citizen within world cultures, so long despised and denigrated, so often relegated to a position of minor importance, that to speak in its defence, or even to continue to denigrate it, is of necessity a political act. Even the cultural aspects of a civilization involve hierarchies of power which have a bearing on the attitudes of artists.

The starting-point for Ousmane, in both his books and his films, is a belief in the inherent value of African culture and a respect for the African way of life. Add to these opinions a deep interest in political matters and the social commitment of Ousmane's work is easily understood. Culture, in this sense, is not an abstract concept but a living, ever-changing mode of life. He brings out the connection between politics and culture in the following comment: 'the word "politique" means affairs of the City, and it is impossible to discuss the art and culture of living men in isolation from the men themselves'.[17]

Ousmane's political awareness informs his work both in his choice of subject matter and in his views as to the writer's role. His early work tended to deal with the struggle of individual men and women in the face of oppression and social injustice. *Le Docker Noir*, *Le Mandat*, and many of the stories in *Voltaïque* fall into this category. Gradually, the individual's struggle is replaced by accounts of group struggles – *Les Bouts de bois de Dieu* and *L'Harmattan* are examples of such works. *Ô Pays, mon beau peuple!* can be seen as marking a transitional phase between the two. Faye's struggle is that of an individual, but his aim is to benefit the whole community in which he lives. More recently, with *Xala* and *Le Dernier de l'Empire*, he has turned his attention to highlighting the shortcomings which exist within the ruling élites of African states: graft, nepotism, hypocrisy and self-seeking careerism. As one can imagine, such opinions, even veiled beneath the cloak of fiction, do little to endear him to the establishment. Whatever his choice of subject matter, the depth of his analysis is always admirable, and the criticism biting in its pertinence.

The degree of social commitment is apparent, too, in his opinions on the writer's role. He possesses a healthy realism in his attitude to his work, as the following remark illustrates:

> Some say they need to express themselves, some that they have an urge to write; but, so far as I am concerned, writing, which is now my job, is a social necessity, like the jobs of the mason, the carpenter, or the iron-worker.[18]

Ousmane's conception of the artist's role and his concern for the lower social orders in his work suggest clear parallels with the socialist realism movement of the inter-war years and of Stalinist Russia. The vital difference, however, is that Ousmane's critique of socio-political realities is carried out, not in the interests of state propaganda but as an expression of personal convictions. The values he defends are his own,[19] and the interests he speaks out for are the universal ones of justice and freedom. Ironically, it is a measure of Ousmane's objectivity and artistic integrity that his work should have managed to upset such a wide cross-section of society: not only the establishment, but also those who find any criticism of Africans unpalatable. The reaction to his work has been most vigorous in governmental attempts to prevent the release of certain of his films, *Xala* and *Ceddo* in particular. Nevertheless, the films have reached the public, but have left Ousmane with no illusions about the value of the cinema as a medium for political comment, nor about the inducements offered to film-makers to present a sugar-coated version of reality. Speaking of certain fellow film-makers, he has this to say: 'Aujourd'hui, en Afrique, tout est à vendre, et notamment les Africains eux-mêmes; mais un artiste doit refuser de se vendre . . .'[20]

Ousmane recently completed a screenplay on the life of Samory-Touré, a leader of the armed African resistance to the French colonialists in the latter half of the nineteenth century. He married in 1974 and continues to live and work at Yoff, near Dakar.

THE NOVEL

> Dans les pays qui sont placés sous une domination étrangère, les individus perdent peu à peu leur puissance créatrice et, de génération en génération, leur énergie diminue.
>
> *Ô Pays, mon beau peuple!* (p. 145)

Ô Pays, mon beau peuple! is not a novel which can be slotted easily into any simple all-embracing category. Labels can be found for it which more or less successfully indicate its preoccupations, but no single label does it full justice. It is, for example, a political novel dealing with one aspect of the struggle for emancipation of an emerging nation-state. It is also an historical document in that it offers an insight into the tensions at work in society at a given moment of that struggle. Because it is a novel from a Third World country aiming at a largely Western audience (see pp. 17–18 of this Introduction), it is, at times, a consciously socio-cultural document describing the peculiarly African background to the struggle.

The richness of the novel lies in the fact that it deals with complex social and political issues without bias and dogmatism, and yet manages to offer a clear moral vision. In a sense, the novel is really an account of a struggle between good and evil. If this perspective is adopted, the politics and the cultural problems can be seen as mere vehicles for the expression of a central message in defence of justice and freedom.

What cannot be ignored is the fact that the novel is African. It differs totally from those Western novels which simply offer Africa as an exotic setting while examining Western patterns of thought and behaviour, centring the action on Western characters and relegating Africans to the role of picturesque prop or barbaric menace, with no real attempt being made to understand them. From Defoe's *Captain Singleton* through to Graham Greene's *The Heart of the Matter* and *A Burnt-Out Case*, such literature forms almost a sub-genre in the Western literary tradition.

By contrast, Ousmane's novel centres the action on African characters and the African way of life. The minor irritation which a European reader may feel at the need for explanatory authorial notes and comments is more than compensated for by the freshness and directness of the African point of view. Europeans have much to learn about Africa from a reading of African literature, but they can also gain some valuable insights into their own history and how they are viewed by the rest of the world.

The novel retains certain features readily associated with the African oral tradition. The widespread use of proverbs in conversation is one prime example. The proverb in Africa is not, as it is in the West, a cliché expressing popular beliefs. It has a much more active role in discussion, and a well-placed proverb can often swing a debate in favour of the speaker. It can be seen as an encapsulation of experience and at times has almost the force of law. As in the West, it usually contains a moral lesson, but one which is viewed with considerably more respect by Africans than is the case for Europeans. No doubt this is partly due to the African respect for the aged and their experience, and partially owing to the fact that, in general, Africans have retained closer links with their natural environment.

Another feature of the novel which connects with the oral tradition is the treatment of character. In the European tradition, psychological realism has tended to dominate. In the name of realism, many nineteenth-century novelists were at pains to show how environment and other factors motivated the actions of their characters. Even the fragmentation of characters and their perceptions, in much of twentieth-century literature, can be seen as issuing from a fragmented perception of reality, and as corresponding to a different notion of realism. In *Ô Pays, mon beau peuple!* there is no such concern to draw fully-rounded characters placed in a setting which either determines or reflects their moods. The protagonist, Faye, and his wife, Isabelle, are treated in some detail, but the supporting cast remains rather sketchily drawn. Even at the close of the novel, little is known about any inner depths of thought or feeling the main characters may have. The real emphasis is on action. The motivations for this action have, as often as not, to be deduced.

The centrepiece of the novel, then, is the dramatic action. This can be summarized in a number of ways which, to an extent, overlap. In the first place it involves integration, and is an account of Faye's attempts to integrate himself and his wife into the family and social milieu of his native Senegal. Secondly, it is an account of a search for identity and an authentic sense of belonging. The question that can be asked of Faye, as he tackles the problem of integration, is, can he still be considered an African or is he now a black European? By extension, given the colonial setting, the question is also pertinent for those Africans who have never left Africa. Thirdly, the action is an account of Faye's attempt to realize a personal dream, by re-ordering the environment and the social structures in which he is expected to live.

Faye's three quests: for integration, for a sense of identity and for the freedom to build the parameters of his own life, meet a series of obstacles and hindrances which give the novel its dramatic dimension. To understand best the thematic interplay on which the novel is built, it is useful to consider the various conflicts and antagonisms which arise from the confrontation between Faye's ambitions and the reality of his situation. These fall into two chief categories: racial antagonism and conflicts of a wider social nature.

RACIAL ANTAGONISM

'Ce n'est pas la race qui fait l'homme, ni la couleur de sa peau.' (p. 199)

The most vivid impression created by the novel at the outset is that of a black population cowed into submission by, or at least incapable of reacting against, the brutality and organized rapacity of the white colonialists. But such a summary gives only a static version of an essentially dynamic process. Faye's return to his homeland, and the activity which follows, is an account of one black's refusal to submit and an illustration of the form that a possible reaction could take. What becomes clear through Faye's attempts to achieve personal self-determination and independence is that the picture is really quite complicated. Not all whites are brutal and greedy any more than all blacks are submissive and indifferent. Indeed, part of the blame for the plight of the black population is implicitly laid at the door of the blacks themselves. Their desire to live according to time-honoured custom, observing the religious and social conventions approved by tradition, is seen as one of the factors contributing to the ease with which the whites maintain their supremacy. Such criticism of elements in the black community[21] in no way exculpates the whites. They remain, by and large, a comtemptible crowd. But it indicates a sense of balance and dispassionate objectivity on the part of Ousmane which gives added weight to his indictment of the injustices of colonial rule.

A close reading of the text brings to light very few dramatic incidents in which white racism against the black population is a central issue. In the first chapter, the confrontation on the boat between Faye and Raoul is one such case. The black passengers who shelter from the rain are savagely beaten by the white man for daring to enter a part of the boat in which they have no right to be. Raoul's violent reaction is despicable not simply because women and children are among his victims, but because it betrays his lack of humanity. He is not merely a first-class passenger who over-reacts in defending his status and his privacy against invasion by the *hoi polloi*, he is a representative of a powerful governing élite proclaiming his refusal to acknowledge any common bonds of humanity with the black passengers. Occurring as it does at the novel's outset, the incident cannot fail to be seen as anything but characteristic of an attitude of mind. Faye's reflections on the incident shortly afterwards reinforce this conclusion: 'En Afrique, les blancs sont les maîtres et, en s'attaquant à eux, on va au-devant de la défaite.' (p. 82)

Once the predominant mood has been captured and the problem posed, Ousmane tends to understate the issue. His concern is not to describe a succession of racist incidents but to make it clear that the action of the novel unfolds in a society where such incidents are commonplace. After the event, there is never any suggestion that Raoul could be called to task for his aggression. Indeed, we learn that this type of behaviour is quite in character for the man: 'Dans sa boutique, il frappe tout le monde; dans la rue il exige qu'on le salue' (p. 97). On the contrary, it is suggested that Faye has behaved rashly in physically preventing him from doing his worst, and that he may have thereby laid himself open to reprisals.

The problem of white racism could only be trivialized by a catalogue of examples. It is really too deep-seated to be approached in such a way. Endemic to society, white racism remains implicit in and throughout the text of the novel. On other occasions when it surfaces it is linked very closely to the harsh reality of economics and economic exploitation. Raoul's violence is rooted in a personal blindspot: his failure to recognize that blacks are human beings and have the same rights as whites. Linked to economics, white racism also has a blindspot. The colonialists fail to accept (or refuse to accept) that the economic aspirations of the blacks should ever be acknowledged. As a result, their very humanity is denied and they can be treated as beasts of burden, or as mere cogs in the capitalist machine. Faye witnesses an example of this at the docks, when he watches a group of women loading a cargo-vessel. Shocked by the decision to employ women for such heavy labour, he intervenes and a minor riot ensues. The turning-point in this incident is clearly racist. The commander of the vessel arrives and is surprised to hear Faye speak French: ' "Tiens, tu parles français? . . . Venez voir, il y a un nègre qui parle comme nous . . . Regardez-moi ce bougnoul . . ." Et il le fouetta au visage' (p. 158). Faye, of course, albeit in self-defence, reacts to violence with violence as he did in the earlier incident, and the episode escalates. The commander's order: 'Tuez ce nègre' (p. 159) exemplifies an attitude common among colonialists, as does his demand that Faye be thrown into prison until his return in three months time. It is an attitude which totally dehumanizes the blacks and denies them any claim to meaningful economic, social or legal rights. The implication is that blacks are not fully human and if they once show any inclination to assert such rights they are to be brutally repressed. On this occasion, Faye walks away a free man and Gomis hints at a partial explanation for this when he says: 'Le temps où l'on mettait les nègres en prison sans justice est périmé' (p. 160).

One final example of white racism is also closely linked with the question of economics, but in a more insidious way. It concerns, of course, Faye's desire to form a co-operative and break the white monopoly of agricultural activity. In a sense, the whole novel describes the development of this project in the mind of Faye and illustrates how it leads him into direct conflict with the whites. The intention to form a co-operative is, partly at least, a response to racism. Faye is indignant that the blacks have no real control over their economic destiny. Prices are fixed by the whites and short-term loans are also provided by them. The blacks sell their harvests and the money they receive returns to the whites in payment for essential household equipment and tools. This vicious circle of exploitation is clearly exposed in the meeting of 'les "grands" ' towards the end of the novel (see pp. 237–8). Their control of the whole system is directed by self-interest and the profit motive, to the extent that the blacks have been converted into cheap labour in a chain of production which ensures that all the benefits go to the whites.

Faye's indignation turns to outrage for two reasons. The first is that no attempt is made by the whites to offer the blacks opportunities for self-improvement and for development. The monopoly allows the whites to take, and to give nothing in return. The second reason is that the whites refuse to accept any responsibility when seasonal or climatic circumstances threaten the harvests. In their moments of hardship the blacks stand alone. They are expected to solve their problems unaided. A dramatic example which illustrates this process is provided by the appearance of the locust larvae which devour the seedling crops and threaten the entire harvest (see Part 3, Chapter 1). The whites have all the advantages and all the rights yet none of the duties or responsibilities. It is in response to this situation that Faye decides to set up a co-operative. He does so, not in order to attack white interests for the sake of it, but to create a situation which allows blacks the chance to compete fairly and on a level footing with the whites.

Faye's ambition is eminently reasonable and the vigorous efforts he makes towards realizing it are admirable. The same characteristics are also discernible in the two previous racist incidents mentioned. Faye's conflicts with Raoul and the commander of the boat are equally reasonable reactions to intolerable situations. They spring from equally admirable motives; but on this occasion the stakes are too high. The tendency on the part of the whites to deny the humanity of the blacks is pushed to its logical conclusion with the murder of Faye.

However central to an understanding of the novel the problem of white racism may be, it is not Ousmane's main concern to dwell upon it. He is content to show such racist attitudes as the background to an African drama, and hence as a backcloth against which other events unfold. In this respect, it would probably be a grave mistake to assume that the theme of racial antagonism is centred on the colonial question. If anything, the true centre is in the web of relationships which form Faye's private life. Indeed, Faye's real battle on his return to Senegal is not with representatives of the white élite but with his own family. His marriage to Isabelle, a white French woman, brings the problem of race into focus from a totally different angle. On the one hand, it provides a constant reminder of the nonsensicality of racism, which sees in physical differences only a threat and a cause for fear. It attacks such notions by offering an example of harmony between black and white. On the other hand it offers a necessary counterbalance to the examples of white racism considered above.

Isabelle is not only devoid of racist sentiments herself, she is the prime victim in the novel of black racism. In attempting to show that racist attitudes are not the preserve of whites alone, Ousmane ran the risk of allowing examples of black racism to be tolerated, justified or condoned. Because these whites are contemptible, it could be argued, they deserve to be hated and condemned *as a race*. Logic is offended by this argument and, in the person of Isabelle, Ousmane exposes its vacuity. For Isabelle is an *innocent* white victim, and the effect of her maltreatment is that we understand better, not only the inherent evils of racism, but the loneliness, alienation and the problems of identity that it provokes in its victims. Isabelle's difficulties in adapting to her new environment and to her new family are not vastly different from the difficulties experienced by the black population in seeking a sense of belonging in their own country.

Ousmane's objectivity is thus partly a question of sensitivity to a very complex problem but also a question of structural organization. The union of Isabelle and Faye offers the reader a sympathetic white point of view which is frequently exploited, alongside the sympathetic black point of view of the protagonist. The result is a treatment of the race problem which avoids clouding issues with particular circumstances, which avoids attributing the wrong motives to individual actions, and which allows racism to be recognized as the evil which it is, irrespective of the colour of skin of the racist in question.

In the event, Isabelle has the worst of both worlds. On her arrival she is rejected by Faye's parents and only gradually overcomes the essentially racial prejudice of Faye's mother, Rokhaya. She is seen by Moussa and his wife as being representative of a type rather than as an individual with her personal qualities and faults. This type of blanket judgement is the very stuff of racism. The colonialists and Faye's parents have this in common – that they respectively fail to perceive the human being beneath the skin of the black 'slave' and the white 'exploiter'. Behaviour which contradicts these stereotypes (for example, Faye's readiness to revolt and to defend his rights, or Isabelle's humanity and her genuine love for Faye), are seen as a threat because they do indeed threaten the reality which the racist constructs in the image of his own mental attitudes.

On the other hand, she is an object of contempt for the other whites of Casamance. Intent upon creating and maintaining artificial barriers between black and white, which they claim to be natural and necessary, the whites find in Isabelle a living proof of the falsehood underlying their endeavours. Her life with Faye is a blatant contradiction of the segregated life-style led by her white compatriots. In effect, it challenges the very bases of the political and economic power which they wield. What justification can there be for refusing blacks a full and free control of their own lives if they are equal to whites, as Isabelle's actions suggest they are? And so Raoul and Jacques insult her, provoke her and, in a particularly vicious episode in the novel, attempt to rape her. All this, presumably, because the only alternative to demeaning Isabelle is to accept the basic untenability of their views. The sexual assault is the clearest proof of the fact that their supposed superiority is mere sham.

In Rokhaya's racism there is, it must be admitted, a good deal of maternal jealousy. Having struggled to bear and to rear her son, she regards the particular form of his marriage to Isabelle as a type of cultural kidnap – but kidnap nonetheless. Personal feelings and a sense of social propriety are intertwined here. When Rokhaya makes such comments as 'Saura-t-elle piler le mil? Mangera-t-elle avec nous dans le même bol? Nous trouvera-t-elle propres ou sales, comme ceux de sa race qui ne sont ici que pour nous exploiter?', she is echoing a fear also felt by Moussa.[22] It is a fear of Isabelle because she has won Faye's affection, but also a fear that the traditional family structure is being undermined. If white racism is generally associated with economics and the threat to white vested interests, black racism is generally associated with personal affection and the threat to traditional African values: the family, religious practices, and accepted patterns of social behaviour.

What emerges from this general atmosphere of racial intolerance and distrust is that the novel acquires a distinct emotional setting, just as it has a distinct geographical setting in West Africa. However, Ousmane's concern, as we have already had occasion to note, is not confined to a desire for merely exposing the problem. It is a worthwhile task to demonstrate the inherent racism of colonialist attitudes, and it is commendable that Ousmane does not flinch from also showing the reactionary racism of the blacks. But he is a politically committed writer and part of that commitment involves a constructive involvement in working towards political solutions. On one level, the very act of writing is a politically constructive act since it raises the general level of awareness about political issues, and at times outlines the problems and poses the questions in such a way that constructive action may follow. On another level, within the fiction itself, the structure and organization of the material is one way of focusing attention on the crux of politically sensitive issues.

The crux of the matter in *Ô Pays, mon beau peuple!* is not that racism exists but that racism creates an environment in which social, economic (and possibly even 'cultural') progress is impossible. This is a much more abstract and intellectual view of what the novel has to offer than any simply 'racist' interpretation. It has the advantage of echoing the preoccupations of Faye himself. He is not overly concerned about racism – he is concerned about progress towards social justice and about the creation of conditions which will make it possible. It is interesting, for example, to examine his motives for intervening in defence of the women at the docks in the incident mentioned above. Racist attitudes are implicit throughout the episode but there is no evidence to suggest that Faye is moved to action for that reason. He is offended because the labouring women show up in stark reality the state of his people: submissive in their plight, indifferent to their fate and lacking the organization and the will to put a stop to intolerable living and working conditions. Above all, his own inaction seems to be tantamount to accepting the *status quo*. Here are his reflections:

> C'était mal, c'était odieux que des femmes besognent de la sorte! Le fait que personne ne réagissait devant cet état de chose lui donnait une espèce de malaise. Il se savait responsable en partie de la somnolence du pays; lui non plus ne faisait rien. (p. 156)

This is not to say that Faye is not aware of the implications of racial antagonism. He recognizes that it is the root cause of many of the problems he has to face and is well capable of analysing the part it plays in his own life. His response is not so much to attack racism itself as to work towards conditions in which racism cannot flourish. Faced with the intolerance of his own family towards Isabelle, he tells her: 'Pense toujours que nous vivons entre deux mondes, entre le jour et la nuit. Ni un noir, ni un blanc ne peuvent imaginer que nous puissions nous entendre' (p. 140). His critique is exact and the decision to move to la Palmeraie is an effective, practical way of removing the immediate consequences of the problem.

Faye's lucidity regarding the race problem is nowhere more in evidence than in an incident which once more brings him face to face with Raoul. Harrassment of Isabelle at the cinema by Jacques and Raoul is followed next day by a meeting in the market where Faye once more shows his readiness to stand up for his rights. A verbal altercation between the two men gives rise to this succinct analysis of the situation by Faye. Speaking to Isabelle he says:

> — Il faut qu'ils humilient, qu'ils arrivent à me pousser à bout de façon que je devienne une seconde fois leur victime. Parce que . . . premièrement, je n'ai pas le droit de vivre, de sentir les choses, de les aimer, de me tailler une place au soleil. Ils ne veulent pas que je franchisse mes limites et, si je leur résiste, ils feront tout pour se débarrasser de moi . . . Et puis, ils ne tolèrent pas qu'un nègre s'accouple avec une blanche, c'est bafouer leurs lois . . . (pp. 137–8)

The clarity of Faye's vision cannot therefore be called into question. He understands the problem of racism and is even capable of offering a detailed list of the different types of racist he has encountered in his travels in Europe (see pp. 166–7). With typical tolerance and objectivity, he closes this particular catalogue with the statement: 'le noir aussi est raciste. Mais à sa manière'[23], thus defusing any possible accusation that he has succumbed to the common complaint of retaliatory racism. Indeed, there is a sense in which the race question seems to be an irrelevancy to his everyday life. Beset by problems of harrassment at the hands of Raoul and Jacques, and the growing enmity of other whites, he refuses to be diverted from his goals. Black racism affects him even less. On at least two occasions in the novel he is accused of betraying his race, simply because he wants progress for blacks. The first occasion is, predictably, a reaction to his marriage. Dieng, perhaps lacking the courage to criticize Faye face to face, comments thus in the company of his friends: 'Un noir ne peut pas vivre ici avec une blanche . . . Maintenant, un des nôtres vient s'imposer sous nos yeux avec une toubabesse . . . C'est un vendu, c'est tout' (p. 104). The second occasion is when his mother admits her incomprehension at his decision to cease fishing in order to farm the land: 'Parfois, je me demande si tu ne désires pas devenir blanc?' (p. 155). For a black racist such a comment would strike deep against his own prejudices. For Faye, it is like so much water off a duck's back. Like some of the group of young people, 'les copains', who visit la Palmeraie from time to time, he is more concerned with the future of Africa[24] than with the unpleasant legacy of the past that is the colonial system, or the racial conflict it provokes. Even in the midst of the storm his attention seems to be centred on the constructive work to be done once the storm will have passed. If Faye has a tragic flaw in his character it is this, that he optimistically looks beyond the evils of racial antagonism to a time when it will have become an irrelevant anachronism. In so doing, he underestimates the danger which surrounds him and ignores powers which finally destroy him. He behaves like a man in a condemned cell who refuses to accept the reality of his prison and who can only act on the dual assumptions that freedom is his right and that he is free.

Viewed from this angle, Faye's optimism contains the seeds of a deeply pessimistic conclusion for the novel as a whole: namely that the clash between the races is incapable of resolution and that there is a fundamental incompatibility which cannot be reduced by working towards good race relations but only by the separation of the two races. To plump for such a reading of the novel is to set up as an absolute what may well be only a conjunctural or provisional conclusion. It is true that the only white colonialist sympathetic to black aspirations, Pierre, is sent home for voicing his opinions. It is true that in an authorial comment on the racial divide Ousmane writes: 'Ainsi se côtoyaient deux mondes qui ne se comprenaient pas, qui vivaient sur la même terre, au rythme des mêmes saisons et qui ne pouvaient rien mettre en commun.' (p. 237) It is true that the brutal murder of Faye silences a powerful and reasonable voice speaking out for progress. But it would possibly be wrong to see the truth of the novel as being expressed in the death of Faye rather than in his life, in his personal destruction rather than in the constructive vision he offers. On the positive side too, at the close of the novel, is Isabelle's decision to remain in Africa, and the conversion of the influential Papa Gomis to Faye's views about the co-operative. So optimism and pessimism, both qualified, co-exist at the end of the novel. The tragedy of Faye's murder is offset by the implication that is not in vain that he has struggled, and that in that part of Africa his death has provoked the birth of a new spirit and a new awareness.

SOCIAL CONFLICT

'le monde va en voyage' (p. 86 *passim*)

Racial antagonism is only one among many hindrances to Faye's ambitions for himself and for his country. A second major obstacle to progress is a more purely African affair and involves divisions among the blacks themselves. There are those, like Faye, who are actively seeking development and improved opportunities in all spheres, but there are also those, like Moussa, who see virtue as synonymous with the traditions of village life.

This schism, which can be seen as dividing Africans into either progressives or traditionalists, subsumes attitudes to race. Traditionalists would tend to reject anything which white civilization has to offer because it disturbs accepted patterns of behaviour and accepted conventions governing relationships. To the extent that they refuse change because they see all change as bad, they are clearly politically reactionary. Their social prejudice, like racial prejudice, is literally a pre-judgement of issues and indicates a lack of discernment, if not outright ignorance. Progressives, on the other hand, would accept that whites have an enormous contribution to make, while also possibly recognizing that that contribution was not, in fact, being made.

Ideologically, the split between progressives and traditionalists is reasonably clear. In practice, it is not. In part it coincides with the gap between the generations - but not exactly. There are 'reactionaries', such as Dieng and Diagne, among 'les copains', a predominantly young group, just as l'oncle Amadou and Papa Gomis prove their adaptability and open-mindedness albeit as older members of Faye's entourage. The split also partially coincides with a demographic divide between city and bush. Educated city-dwellers, more open to the influences of white civilization, are also generally more open to progressive ideas. There is, for example, a stark contrast between the level of discussion which goes on whenever 'les copains' get together, and the ridiculous nature of the negotiation which Faye finds himself involved in when he visits Itylima's village (see pp. 173–6).

The conflict between progressives and traditionalists is fought out on a variety of battlegrounds and has implications for a whole gamut of socio-cultural attitudes. But it should not be imagined that Ousmane is proposing any definitive answers through his fictional portrayal of the problems. Just as the issue of racial conflict is naturally left unresolved, so the social conflict is seen as a dynamic process with no stasis eventually achieved. In both instances, however, through the character of Faye, Ousmane points in a direction which is seen as desirable. Moreover, by dramatizing the problems themselves he allows the reader to understand better the nature of the divisions within African society.

One such division is religion. In West Africa, religious practice has three main strands: the imported Christianity of the colonizers, the much older importation of the Muslim faith, and a wide range of indigenous pagan rituals, practices and superstitions. Often these three strands co-exist within a single community or even family, and certainly the frontiers between them are often less distinct than a European might imagine. Christianity plays little active part in the novel but the Muslim tradition and pagan superstitions figure largely. Just as the drama of racial antagonism is heightened by being incorporated into Faye's family life through the person of Isabelle, so religious differences are also a family affair. Faye's father, Moussa, is a devout follower of the Prophet. He is the imam, the prayer-leader, of the local mosque and sufficiently serious about his religious duties to undertake the hadj or pilgrimage to Mecca, which every Muslim must perform once in his life if at all possible. His objections to Faye's marriage derive partly from wider cultural issues, as we have seen, but they can be ascribed for the main part to Moussa's disappointment that his son should decide to marry outside the faith. Faye's religious non-conformism, his latent agnosticism, contrasts strongly with Moussa's piety.

The crux of the problem for Faye lies in his rejection of the Muslim attitude to free will. The word 'Muslim' means 'one who has surrendered to Allah', and 'Islam' means 'submission to Allah'. The Muslim attitude to free will is a complex one. In theory, man is born free to choose good or evil. If he chooses 'good', then he is automatically accepting a state of subservience to the will of the Almighty. Depending on how that will is perceived, the Muslim can become either totally passive in the face of misfortune, or fanatical in his active attempts to secure a place in paradise after his death. At one extreme, the Muslim may ascribe any disasters which befall him (including conquest, oppression by a foreign power, or natural catastrophes) to the will of Allah, and see his duty as being to bear them with patience. At the other extreme, he may be convinced that the will of Allah is best served by embarking on a Jihad or proselytizing Holy War against the infidel. What both of these extremes have in common is the fundamental notion of subservience to Allah, and, as Ousmane explains, for the Muslim, 'la vie n'est rien; seuls les actes religieux ont une valeur; leur existence n'est qu'un trait d'union entre la naissance et la mort' (p. 88). This squares badly with Faye's dynamic attitude to the social injustice he sees around him. Concerned with more or less specific material goals, he not only has little time for spiritual matters, but he recognizes that faith of this sort can act as a political dead-weight around the necks of would-be reformers. Here, for example, is how one of the village elders views some of the social evils which beset the community: 'Que voulez-vous, s'il y a une telle mortalité chez les enfants, c'est parce qu'ils délaissent leurs coutumes ancestrales, le chemin de Dieu, et voilà que l'on se plaint du manque d'eau. Dieu nous punit' (p. 86)

This is an attitude which is overly ready to justify inaction and passivity on the grounds that all the good and evil which befalls man is merely an expression of the will of God.[25] Faye has little time for such an abdication of free will. He explains his position to l'oncle Amadou:

> Je suis un noir et je le resterai. J'ai du respect pour nos coutumes et de la considération envers Dieu. Seulement, je n'ai rien d'un fanatique. Depuis mon retour, j'entends dire: 'Dieu est bon, Dieu est bon' quand, évidemment, tout va bien. Et quand tout va mal: 'C'est la volonté de Dieu.' Que moi j'aille grossir les rangs des crédules? Non. (pp. 120–1)

When the situation warrants it, Faye demonstrates an equal degree of scepticism about the more colourful pagan superstitions. Rokhaya is, in fact, something of a witch. She has a great reputation for her ability to deal with physical illnesses and especially with problems relating to sterility. Whilst Faye does not openly attack her beliefs any more than he actively attacks the Muslim faith, neither does he give them any credence. Arrogating to himself the right to think and act as he will, he allows this right in others and makes no attempt to prevent Isabelle from participating in Rokhaya's magic fertility rituals. But when his mother's superstitions seem to be threatening his own freedom of action, he quickly rounds on her with the words: 'Que veux-tu que j'y fasse, s'ils veulent se balader tes esprits' (p. 157).

It is in Faye's actions, rather than his words, that the reader learns the true nature of this spiritual scepticism. When the locust larvae strike, superstition and Islamic resignation to fate serve to paralyse the black population. Faye spurs them to practical action: the building of fires and a physical eradication of the pest are more likely to prove effective than bowing to the will of Allah or the malevolence of evil spirits. And if the local custom of fetching 'le Cangourang' will satisfy his compatriots that their interpretation of the disaster is being taken into account, then he sees no objection to it (see p. 216).

Faye does not offer the reader a coherent philosophy of religion, any more than he theorizes about the problem of race. The nearest he comes to doing so is in a conversation with his father, when he confesses to a vague belief in God which is closely akin to pantheism:

> Dieu se trouve partout, en nous, sur la terre qu'il a créée, dans le ciel, dans l'eau qui arrose nos champs, dans le soleil qui fait mûrir nos semences . . . je crois en Dieu et le crains. Lorsque je suis seul, quelque chose de grand me préoccupe l'esprit. Je sais que Dieu doit exister . . . (pp. 232–3).

This confidence aside, Faye rarely alludes to any spiritual beliefs. If he has a coherent philosophy, it is to be deduced from what he does and from his reactions to the behaviour of others. Towards the end of the novel the question of religion is raised once again, this time in connection with the name to be given to his unborn child. Briefly, he announces his intention: 'L'enfant aura le nom que nous lui donnerons. Quant à la croyance, il sera libre de choisir à sa majorité' (p. 245). Pushed further on the matter, he responds: 'Papa Gomis . . . je ne suis pas venu te demander s'il vaut mieux être musulman, chrétien ou fétichiste. Je veux monter une ferme modèle dont tous profiteront et je suis venu voir si tu voulais t'associer avec moi' (p. 243).

Perhaps Faye is not so much evading the issue of religion here as transferring attention from the spiritual to the material plane. The form of transcendence which interests him is not the spiritual paradise of Islam or Christianity, but a historic transcendence more akin to Marxism, with its emphasis on attaining material goals for future generations. In this respect, his distaste for his father's religious zeal can best be summed up in a telling phrase uttered by Doctor

Agbo: 'Ceux qui retardent le plus ce sont les adeptes de Mohammed' (p. 164).

The critique of religious attitudes implied in Faye's behaviour is not really a central concern of the novel. Ousmane would probably argue that institutionalized religion is a conservative or even reactionary influence on the political level. But the novel is not illustrating any such abstract thesis. What is important is that Faye, without articulating these ideas, acts upon them. In a piecemeal fashion his behaviour sketches out a personal set of values, which are a response to particular needs and which aim to achieve particular goals. Faye is not condemning Christianity, Islam or African religions *per se*. He merely rejects them in so far as they are incapable of offering any solution to his own problems, or are incapable of furthering his own ends. This personal reaction, devoid of absolutism and dogma, suggests that Faye is by no means an iconoclast. His personal rejection of religious observance does not mean that he sees no value in religion nor does he deny the right of others to follow their religious inclinations. His underlying respect for his father's views is a case in point, but it is one which implies much more than simply religious tolerance.

When Moussa decides to perform the hadj and embark on a pilgrimage to Mecca, Faye shows considerable restraint. Financially, Moussa's decision represents a real threat to Faye's plans because the pilgrimage will be paid for with money which he could normally expect to come to him, and which he had counted on using in his agricultural endeavours. In the event, Faye swallows his frustration and accepts that his father's needs should be satisfied before his own: 'Oumar s'inclina sans mot dire. Il savait que son père avait raison et que lui, qui atteignait la trentaine, n'avait qu'à obéir' (p. 232).

Faye's climb-down in the face of paternal authority illustrates the extent to which he is, in fact, embracing the traditions of his own culture. In African families and village communities a tremendous amount of respect is shown to older members by virtue of their age and the accumulated experience of their years. It is they who speak first in group discussions and who, more often than not, play the decisive role in the taking of group decisions. There is not, as there is in Europe, a situation in which the diminishing activity and strength of old age tends to be accompanied by a diminution of power and influence. Hence, one of the striking aspects of Faye's activity in the novel is that one so young should come to exert such an influence over the community in which he lives. The impetus for change which he brings to his native land springs neither from selfish greed nor from an undue admiration for white civilization, but it certainly contains a good deal of sensitivity to African values and respect for things African. A second example of Faye's respect for the aged is to be found near the close of the novel. When Faye decides to put into practice his dream of establishing a model farm, he approaches Papa Gomis with a view to converting him to his idea. Youth seeking the approval of age has different connotations in its African context to those it would have in a European setting.

Faye's respect for age is coupled with a youthful dynamism and, in a sense, these two aspects of his character can be seen as a synthesis of two distinct cultural traditions: his African background and his European 'education'. The European perspective leads him to forms of dissent which appear all the more telling in that they spring from a real, personal experience of alternative customs. Apparently, one such sticking-point for Faye is the tradition of polygamy.[26] Once again, it is an issue which has a religious significance but which also has much wider cultural implications. Polygamy is not simply an institutionalized system of wedlock sanctioned by the Islamic faith, it is the basis for an entire system of family relationships.

Moussa has three wives. In taking them he is not simply emulating the practice followed by the Prophet Mohammed (who had considerably more), he is exhibiting a degree of social prestige which less wealthy men could not match. His patriarchal attitude to family affairs is reinforced by his position at the head of what in Europe would be three families, but in Africa is one extended family network. His word is the final authority in a system where Faye has effectively three mothers and a large number of siblings. Likewise Isabelle, as Faye's wife, has effectively married his brothers and sisters too: 'En Afrique, la femme du frère est considérée comme épouse par tous les frères ou soeurs' (p. 134). The complexity of human relationships in a family such as this are not difficult to imagine.

However, such criticism of polygamy as exists in the novel is not directed against the type or complexity of relationships which the system engenders, but against the social injustice to women which it represents. Within the group of 'les copains', Agnès stands out as an example of independent, liberated womanhood, and it is she who argues the case for women most vociferously. The case is a simple one, but it has two facets. Polygamy degrades women and it represents a terrible waste of human resources which could be harnessed to the benefit of the nation. It is degrading because it denies women any power other than the unacknowledged, insidious power they manage to wield within the home. To all intents and purposes, polygamy relegates women to the status of mere chattels whose only function is to respond to the needs and desires of their master. Elsewhere[27], Ousmane examines the psychological effects of polygamy upon women and illustrates how wives often work against their own best interests by involving themselves in rivalry and one-upmanship in their jealous attempts to outdo their co-wives in pleasing the husband. This acceptance of a subservient role is not very far removed from the attitude of Rokhaya, who is relieved when Moussa takes a second and then a third wife: 'Quand la seconde épouse fut introduite dans le ménage, elle y trouva un soulagement . . . Puis vint la troisième qui la soulagea encore plus' (p. 91). The dissipation of female energy which is involved in this subservience to the husband is not only a waste in real terms, but leads to a prevalent negative attitude among women as to their own worth. In accepting polygamy, women are necessarily refusing the opportunity of fighting for a better education and for better economic and political prospects for themselves. It is in these terms that Agnès understands the problem and she sums up her argument thus:

> La polygamie a existé dans toutes les nations. Mais vous, tant que vous ne considérerez pas la femme comme un être humain et non comme un instrument de vos viles passions, vous piétinerez. Les femmes constituent la majeure partie du peuple. Il n'y a pas de plus puissant obstacle que la polygamie en ce qui concerne l'évolution. (p. 165)

Polygamy as an obstacle to social and political progress is possibly best understood if one considers the difficulty of organizing a system of child benefit, family allowances or maternity-leave in a polygamous society.[28] Likewise, granting the vote to women in such circumstances can often be tantamount to granting additional votes to the husband.

Offset against the progressive opinions of Agnès, Ousmane offers only a relatively weak case in defence of polygamy, through the views of the rather selfish and reactionary womanizer, Diagne. It is one of Diagne's anti-female comments which provokes Agnès to make her spirited defence of women given above. Earlier in the novel, Diagne expounds his belief that women belong in the home. He finds polygamy too much to his advantage to be prepared to give it up. Quite rightly though, he connects the maintenance of the *status quo* with a suppression of women's rights to education and the vote. Better educated women represent a threat to male dominance and on these grounds alone he is prepared to deny them education. He says, 'Dès qu'elles sont instruites . . . nous sommes sous-estimés. Ma fille n'ira pas à l'école. . . Et pour lui apprendre quoi?' (p. 105).

On this, as on other issues, Faye is a remarkably silent protagonist. His private views may be deduced from his fidelity to Isabelle and his refusal to accept Safiétou as a second wife. Joking with Isabelle, he pretends it is not a foregone conclusion that he will remain monogamous (see p. 99), and yet the difficulties he encounters in attempting to re-integrate himself into his own family spring very largely from his rejection of such customs as polygamy, and lead him to the more European than African solution of leaving the paternal home to settle at la Palmeraie.

Ousmane, himself, is much more outspoken on the issue than Faye, and polygamy is a recurrent preoccupation in his literary output as a whole. In an interview published in *Bingo* in 1971, Ousmane says, 'Je suis contre la polygamie . . . Mais les personnes que j'ai rencontrées l'approuvaient. Je crois que la polygamie est un faux problème. Le véritable problème est économique.'[29] Nevertheless, like Faye, Ousmane is perhaps chary of attacking traditional solutions to problems and traditional behaviour patterns merely for the sake of it. The emphasis he places on the economics rather than on the morality of polygamy is significant. Ousmane as an African, and Faye as the offspring of a polygamous union, are themselves the meeting-place for a clash of cultures. They are involved as no 'European' can be. To see in the issue a moral imperative is possibly to ignore the reality of human relationships. Polygamy may be tragically unjust to women and their aspirations, but in a society evolving at enormously different rates in town and country there is probably no wiser course to adopt than a pragmatic, piecemeal approach. There is a good deal of didacticism in Ousmane's work, as his conception of the writer's task as that of a builder indicates[30], but he rarely slips into the type of totalitarian dogmatism which would tell people what to think. Faye is certainly made in the image of his creator in this respect.

The pragmatic, piecemeal approach which typifies Faye's attitude to progress and development can lead the reader into difficulties of interpretation. Faye is not a radical progressive in the sense that he has a social mission and believes in the ability of any single economic or political theory to provide salvation. Nor is he a die-hard traditionalist, although he shows considerable respect for African customs and traditions. To talk of a split between progressives and traditionalists is a way of explaining the major sources of tension within African society as depicted in the novel. In reality, Faye belongs to neither camp. He is, rather, an individual focus for those tensions. He is an exemplary figure in that the contradictions of Africa become contradictory urges within himself. It is for this reason that he, at times, seems to embrace both poles of the progressive-traditionalist divide.

It is naturally easier to identify areas where Faye departs from tradition than it is to recognize his acceptance of it. One example of his rejection of custom occurs soon after his return to Fayène when he refuses to bestow gifts upon the relatives and acquaintances who call to claim 'leur "part du voyage" ' (p. 108). His objection to the custom is in keeping with his own dynamic outlook, and is simply based on a distaste for encouraging indolence. He says, 'Comprends donc qu'il y a des choses qui ne doivent plus être, toutes celles qui entretiennent la fainéantise de ces gens' (p. 109). Faye's questioning attitude to custom and tradition is shared by various members of 'les copains', notably Agnès and Dr Agbo. When the latter is accused by Diagne of wanting to abandon all African customs, his reply is a plea for moderation, tolerance and compromise which is a succinct expression of the spirit of change which runs through the novel as a whole: 'Tu mélanges tout. Assimiler le progrès ne veut pas dire que l'on renie ses ascendants, Mais il y a des choses que nous ne devrions plus pratiquer' (p. 105).[31]

There are, however, several occasions in the novel when Faye's reaction to events is difficult to come to terms with unless viewed within this context. One such occasion concerns the fertility rituals practised by Rokhaya upon Isabelle, Although Faye takes no part in them, neither does he exhibit any scepticism whatsoever about their efficacity. Moreover, the third-person narrative describing the rituals includes a clearly supernatural event which contrasts strangely with the realistic tone of the rest of the novel: 'elle arracha deux cornes qui étaient accrochées à la paroi. Elle en mit une entre les mains d'Isabelle et lança l'autre vers le toit: la corne resta suspendue en l'air, immobile' (p. 195). Because of the absence of any authorial intervention commenting on this bizarre scene, and with no help coming from the characters either, the reader is left to conclude that this example of magic has the same status as any other event in the novel. When Faye falls ill shortly afterwards, and when he receives a gunshot wound earlier in the novel, he is treated by both Dr Agbo and Rokhaya. On both occasions he recovers, but there is no evaluative comment as to which form of medicine proved the more effective: the African or the European. Such incidents as these help to provide a decidedly ambivalent background against which the more actively condemnatory view of certain African customs should be set.

Despite Faye's openness to the good in both European and African cultures, there is one particular decision which marks a radical departure for him and for the community in which he lives. His decision to abandon fishing and to turn his attention to cultivating the soil proves to be a turning-point in the novel. The decision is met with incomprehension, not only on the part of his family – Rokhaya and l'oncle Amadou – but also by the elders of Itylima's village when he goes to negotiate the loan of seeds and workers. The importance of the switch lies partly in the events which follow in its train, but not least in the fact that it symbolizes the attention which Faye pays to his native land.

The notion of a national awakening, symbolized by the germination of crops, implies an event which can trigger off and sustain that resurgence. In fact, the event is something of a crisis and has much of the experiment about it. It involves a leap into the dark in terms of a search for a sense of identity. The problems which Faye and Isabelle meet on their arrival can be understood as national problems in a microcosmic form. Before them lie the tasks of creating a home for themselves, building relationships within the community and earning a livelihood. Before these problems can be tackled, the more basic questions – who they are and what values they stand for – have to be answered. The interest which their arrival arouses and the commentaries which ensue, in the early part of the novel, are so many attempts to answer the basic questions. The colonialists, by contrast, undergo no such identity crises. Their strong ties with Europe leave them with no doubts as to who they are, and their role in the colonies leads them to adopt a confident, proprietorial language when speaking of Africa. What the blacks as a group lack is a uniting concept of nationhood and a sense of belonging.[32] The prerequisite for national development is that such ideas should emerge. When Faye turns his back on the past and rejects the life of a fisherman to choose the unknown life of a farmer he is living the nation's adventure and experiencing, in miniature, an identity crisis which is a national dilemma for progressive blacks. Rokhaya's reaction to his decision brings this out: 'Ton père, le père de ton père, tous étaient des pêcheurs, mais toi le toubab, tu veux la terre? . . . Parfois, je me demande si tu ne désires pas devenir blanc' (pp. 154–5). 'Black or white?' is the question. With which race does Faye have most affinity? But in his mother's complaint is also the answer, 'tu veux la terre', an answer which is echoed in interrogative form by the king's adviser in Itylima's village: 'tu as herité des eaux, que veux-tu à la terre?' (p. 174).

It is almost instinctively that Faye wishes to adopt an unfamiliar, experimental role, become a farmer and possess the land. Similarly, Africans needed to achieve a national self-consciousness and an appreciation of their own worth before their claim to national independence, their claim to their land, could have any meaning.

Faye's ambitions seem remarkably sane. He seeks material well-being, not only for himself but for his family and compatriots. To achieve this, he stands out for economic independence and a rational development of agricultural methods and trading practices. Perhaps his aim can be summarized as a desire for social justice in its many forms. In an African context, such ambitions lead to conflicts not only with the ruling élite but with those Africans who refuse to countenance change because it involves a process of self-analysis and self-criticism. Before the search for a new identity can begin, there has to be a recognition that the old identity, the partly European-imposed but also partly African-approved stereotypes, correspond to no reality at all. The fact that Faye's ambitions are so reasonable, and the fact that his methods are so dynamic and yet tolerant, only serve to heighten the tragedy of his destruction. If murder is the only reply possible to a voice as sympathetic as Faye's, the reader may wonder, then what price reason?

CONCLUSION

Faye's death at the close of the novel signalizes the defeat of his ambitions and calls to mind a remark made at the novel's opening: 'En Afrique, les blancs sont les maîtres et, en s'attaquant à eux, on va au-devant de la défaite' (p. 82). But the novel has more to offer than a catalogue of conflicts and confrontations between blacks and whites or traditionalists and progressives. Even running through these conflicts there are optimistic notes of harmony. Isabelle and Rokhaya overcome their differences and learn a good degree of mutual respect and understanding. Pierre tries, within his limited sphere of influence, and before he is packed off back to France, to further Faye's aims. Doctor Joseph, another white man, is a minor but well-integrated member of 'les copains' before he too returns to France.

It would be wrong to look for a resolution of the differences between traditionalists and progressives in any other way than in a change in their attitudes. An idea which appears several times in the novel is that there is good in both the old ways and in the new aspirations of blacks. The important thing is to marry the two in a spirit of compromise. On this score, the novel is reasonably optimistic, since Faye has not only raised the general level of consciousness but also dispelled the torpor of many of his compatriots. This is certainly true of Papa Gomis, as he shows when he makes his moving funeral oration, saying of Faye:

> Il nous a montré, malgré sa jeunesse, que nous sommes des hommes. Il disait à mon fils: 'Ce n'est pas d'épouser une femme qui fait d'un homme un homme. Pour être homme, il faut lutter durement. Il faut arracher à toute chose son secret et le faire sien, pour le bien de tous' (p. 225).

The example Faye's life offers is one of dynamism coupled with tolerance. This is the way forward for Senegal, according to Ousmane. The blacks must seek to overcome external oppression and internal differences, and yet retain a faith in humanity and the potential value of all men.

There is, however, one relationship in the novel where unity and harmony is the norm rather than the exception. It is the relationship between Faye and the soil of his native country. Running like a leitmotif throughout the novel is the association of the character of Faye with a love of nature. It accounts, of course, for Faye's decision to leave fishing, to dabble in agriculture and to work towards setting up a model farm. But it is expressed also through the general lyrical tone of many passages. One of the first things Faye and Isabelle do, when the formalities of their arrival are completed, is to go off to the backwater, where la Palmeraie will eventually be built, and bathe in the creek: 'Eux, sans se soucier du temps qui passait, dans leur plus complète nudité, plongeaient, replongeaient en riant dans l'eau claire' (p. 108). The naive innocence of this passage is echoed in a later passage when the couple, newly installed in their home, decide to take advantage of the storm by sharing a shower outdoors in the rain: 'Dans une nudité familière, ils se donnèrent à la pluie en s'éclaboussant d'eau, semblables à des marmots. Leurs ébats durèrent un bon moment' (p. 151).

The almost metaphysical nature of Faye's attraction to the

soil finds its most complete expression at the beginning of the second part of the novel. His return to Senegal, it seems, is not complete until he has re-established an organic link with his native land:

> (Faye) . . . se saoulait de nature et n'en était jamais repu. Ses yeux avaient vu le jour dans ce pays; il se savait pétri de cette glèbe qui était sienne. Sa peau était impregnée de sa saveur. Depuis son enfance, il s'était frotté à elle de la tête aux pieds. Ah, qu'il aimait la terre, cette terre, sa terre, comme il la chérissait! Il en était jaloux. Il la comparait à une femme aimante et aimée. (p. 143)

Faye's reacquaintance with the soil through his walks is of a thoroughly physical nature. A vivid tactile image is used to express the physicality of the experience: 'Toujours pieds nus, il marchait en attaquant la terre de toute la surface plantaire' (p. 143). But the lyricism of the passage is nowhere in greater evidence than in the comparison of the land to the body of a beloved woman. It is almost as though Isabelle and Rokhaya both have reason to be jealous of Faye's love for the soil. Indeed, later in the novel when Faye is busy fighting the locust larvae, Isabelle has good reason to feel that Faye is abandoning her somewhat. There is not, as the whites would suggest, a liaison with Désirée, but there is more than a suspicion that Faye's relationship with his natural environment is a form of infidelity.

One element in Faye's consuming passion for the soil is the connection he makes between the land and the African people who work it. The poetically allusive title of the novel is best understood in this context. The ambiguity of the word 'pays', meaning 'national territory' and also connoting the inhabitants of a particular region, illustrates the extent to which the symbolism of reclaiming a natural birthright underpins the whole novel. The invocation to the soil of Senegal and to its population, which is contained in the title, appears almost verbatim in the body of the text. Faye is carefully tending the new shoots he has planted:

cette vie de laboureur, est une belle vie.

> 'Ô mon pays, mon beau peuple!', chantait Oumar en foulant le sol. . . . Seul devant son peuple qu'il voyait en imagination, aidé par le silence et la solitude, l'émotion le prenait, il parlait et il entendait la voix de son peuple qui lui répondait. (p. 189)

The land of Senegal thus plays a central role in the novel. It can, indeed, be considered to be the true subject of the novel since the various conflicts dividing the characters revolve essentially around the notion of possession of the land and its riches, or the possible modalities of that possession. It is in this respect that Faye's life is, finally, truly exemplary. His passionate desire to live in harmony with the land, giving to it and taking from it, gives his other, more socially-orientated activities their meaning and their real justification.

LANGUAGE AND STYLE

The study of literature cannot take place in a cultural vacuum. The particular historical and social situation of the writer is a context which affects the meaning of what is written, and the particular historical and social situation of the reader is another context which affects the interpretation of what is read. The fluidity and transient nature of these contexts allow literary texts to be understood in a variety of ways. They make the study of literature an open-ended activity in which debate and discussion can be valued for their own sake. They also ensure that absolute judgements and dogmatism concerning questions of literary value are attitudes to be avoided.

In studying an African novel, the context of the writer and the context of the reader need to be given more than passing consideration. It has been shown for *Ô Pays, mon beau peuple*! that the clash of African and European cultures is the thematic centre of the novel. The same can be said of the vast majority of modern African works of fiction. As a result, the student of African literature is actively involved in the subject of the fiction he is analysing. The reading of an African novel is an excursion into the front line of a cultural conflict, whether the reader be an African or a European. For a European, there is a need to be constantly aware of the pitfalls of ethnocentricity. The reader must question the values and assumptions which he or she brings to the text. During the colonial period, European culture was posited as superior. The attack on colonial attitudes and European values in *Ô Pays, mon beau peuple*! can only be truly understood by European readers who are capable of suspending judgement and lending a sympathetic ear to the voice of Africa. For the African, the problem is reversed. Since the novel remains an essentially European cultural form, it demands a similar suspension of judgement and a similar sympathy with regard to alien values, if the voice of the novel is to be heard.

The context of the African writer almost invariably includes a dilemma about the language in which he writes. Ousmane writes in French, the language of the colonialists, because otherwise he has no public. He is conscious of the didactic purpose of writing, of the need to instruct his people, the need to raise the level of political awareness, and the desirability of building a national cultural heritage. And yet, the choice of French, paradoxically, means that he is writing for an essentially European audience, a readership living in Europe or having acquired a European-style education. The alternative is to write in Wolof, a language understood by three-quarters of the population of Senegal, but comprising a social group which does not read novels. As he himself says, 'Si j'essayais d'écrire en ouolof, qui m'éditerait, qui me lirait.'[33]

The fact that the choice of language is not a realistic choice at all, does not mean that the language dilemma is any the less acute. The best that can be hoped for is that the habit of literary production and consumption will be acquired through writings in French, and that the seeds of a truly African literary tradition are thus being sown for the future. One leading African critic, Professor Abiola Irele, concludes his exposition of the language dilemma in the following way:

> The criticism of modern African literature must take as its aim the creation of a public at home, to provide a base for it here in order to foster its healthy development. Our purpose in the last resort must be to found modern African

literature veritably; to promote the full emergence of a literary life as a part of the intellectual and cultural development of modern African society[34]

The language dilemma, which forms a major part of the context in which African novels are produced, also has repercussions for the reader of these works. A question which has been asked not only of francophone writers but also of prominent African writers in English such as the Nigerian, Chinua Achebe, concerns the attitudes which critics should adopt in evaluating their work. Does the work of Ousmane belong to French literature, and that of Achebe to English? Joseph Conrad, a Pole who wrote in English, is certainly judged according to the standards and methodology of English criticism. Similarly, Beckett's French novels and plays have entered the canon of French literature, despite his Irish origins. It is doubtful whether a similar absorption of African literature can be considered useful or desirable. One chief reason is that the number of writers working in post-colonial Africa, writing within and yet against a European tradition, is so great as to merit a distinct critical treatment. A second, equally weighty reason is that they are working from a background which is specifically African. The African background is not simply a question of African socio-cultural and historical reference points, which are common to these writers irrespective of national origins. Nor is it merely a question of their preoccupation with a clearly discernible body of typical African themes: identity crises, alienation, political struggles, or various forms of culture shock. It is also a question of how they relate to wholly African expectations issuing from an awareness of the methods and functions of the African oral literary tradition. It is probably true to say that a writer like Ousmane has no choice but to plump for a European audience. It is nonetheless true to say that it is an audience by default, and possibly only a temporary one at that. As a character in *Les Bouts de bois de Dieu* says, complaining that he is being coerced to negotiate in French rather than an indigenous African language: 'étant donné que votre ignorance d'au moins une de nos langues est un handicap pour vous, nous emploierons le français, c'est une question de politesse. Mais c'est une politesse qui n'aura qu'un temps.'[35]

The language dilemma facing African writers is not merely a problem prior to the creative act. It is not simply a decision which has to be taken once and for all before the writing of a novel, drama or poem can take place. It accompanies the writer at every stage of his work. It mirrors on a formal level the dilemmas, the paradoxes and the contradictions which are the thematic centre of modern African literature and which can be summarized as the clash of cultures in post-colonial society.

One of the major consequences for the reader of African fiction is the need to pay particular attention to questions of style. If it is accepted that francophone literature is not in fact merely a sub-genre of French literature, then part of the reader's task is to identify stylistic traits which in some sense typify African writing. In this undertaking much depends on the attitude of the writer under study. In the case of Ousmane, it is clear that the need to use French rather than Wolof is a source of much anguish and soul-searching. In his extratextual comments, at conferences for example, he has been at pains to point out that the use of French is both a liberation and a constraint. It is a constraint for all the sociological reasons outlined above – reasons which have led him to devote much time and energy to the cinema. It is simultaneously a liberation in the sense that the use of French allows him to say things which the restricted lexical fields of Wolof would never allow him to say in his mother tongue.[36] French offers writers like Ousmane a precise analytical tool which allows them to express the cultural conflicts inherent in everyday African experience. This is one strategy, and it means that Ousmane's narrative prose is composed, by and large, in standard literary French.

This is not to say that passages of an analytical nature

abound in *Ô Pays, mon beau peuple!*, but they do have their place. The regular meetings of 'les copains' at la Palmeraie provide occasions for discussions on a variety of social issues. These discussions employ a type of French which is indistinguishable from the French spoken in educated circles anywhere in metropolitan France. Agnès's castigation of the system of polygamy, for example, (see p. 165), involves a register of speech which , if anything, is rather too eloquent and sophisticated for comfort. Such diatribes lack the spontaneity which realism would demand from an impassioned speaker. Faye, too, is prone to eloquence when in the throes of righteous indignation. After Jacques's attempted rape of Isabelle, Faye outlines his reasons for refusing to return to France in a French of moving simplicity and purity (pp. 185–6). His analytical cast of mind is rarely in evidence, however, although one prime exception is to be found in his enumeration of the different reactions to blacks which he has experienced in Europe (pp. 166–7). In reality, there is nothing exceptional about such passages in the higher register. Like the letters which pass between Isabelle and her father, they express, in lucid French, preoccupations which are expressed in dramatic form throughout the novel.

Early on in the novel, Ousmane demonstrates his stylistic versatility by reproducing the conversation of the villagers beneath 'l'arbre de palabre'. A much lower register of French is employed in this scene. For all its grammatical correctness, it is exceedingly simple in structure, limited in vocabulary, and is peppered with expressions which read as direct translations of African idioms. A comparison of this scene (pp. 84–8), or of the scene in which Faye negotiates with the king of Itylima's village (pp. 173–6), with the discussions among 'les copains' gives a good indication of Ousmane's range in his portrayal of dialogue. Here, for example, is a random selection of utterances from the speech of the villagers:

— Où vont-ils habiter?
— Chez son père, rétorqua Massiré, le fils n'a que la maison de son père.

— Du temps de feu mon père, je n'aurais jamais eu le courage de me mettre en pantalon fourchu. Ah! le monde va en voyage! . . .
— Pardonne-moi, fils de Guet N'Dar, si je te coupe ton cou. . .
— Ce qu'a dit Moussa est vrai, Samba: tu ne quittes jamais ce lieu où tu es, et tu sais tout; moi qui suis l'aîné, je n'ai jamais entendu cela; dis-nous si la nuit tu te métamorphoses en hyène ou quoi? Où les passes-tu, les nuits? (pp. 85–7)

The full version of this conversation abounds in cultural references which have been discussed elsewhere. There are mentions of the cohesiveness of the family unit, the respect for age, and indications of the fatalistic attitudes typical of Muslim society. But these ideas are all expressed in a highy stylized and imaged language. It is not only the African politeness in forms of address ('fils de Guet N'Dar') which creates the rather formal tone of these exchanges, but it is also the readiness to justify opinions or to give them added weight by the use of proverbs and stereotyped expressions of folk wisdom: 'Le serpent n'a pas de pieds, mais Dieu le fait marcher' says Samba (p. 85), and shortly afterwards adds, 'Tant que votre nez sera sur votre visage, vous direz que j'ai raison' (p. 87). The stylized speech becomes almost ritualistic when Ousmane portrays villagers and members of his family greeting each other:

— Avez-vous passé l'après-midi en paix?
— Paix seulement, répondait l'assemblée, et la famille?
— En paix, et vos familles?
— En paix, disaient les gens assis.
— Que la paix augmente en ce saint lieu, dit Moussa en s'accroupissant. (p. 85)

But such passages, in which Ousmane offers a direct translation of the indigenous modes of speech, serve to recreate for the reader the atmosphere of African community life.

Undoubtedly the lowest register of all is the garbled French spoken by Rokhaya, l'oncle Amadou and Seynabou. On the several occasions when Ousmane transcribes their attempts at French, he offers little more than a sample of their speech: here is l'oncle Amadou refusing food: 'Manger . . . moi venir. (Il voulait dire: j'ai déjà mangé avant de venir ici.) Merci beaucoup, Madame' (p. 121). More often than not, he translates their speech into standard French. Wisely, he is wary of tiring the reader, who would quickly weary of the effort of deciphering long passages of pidgin French littered with grammatical faults. The examples which are given are invariably in conversations with Isabelle and serve to convey the difficulty of communication between herself and Faye's family.

The outstanding features of Ousmane's handling of dialogue are the variety of registers which he employs and his ability to create an atmosphere through the speech of incidental characters. In addition to the examples already given, there is a notable scene in the market with captures the mood of hustle and bustle surrounding the commercial activity (pp. 134–5), and a scene where the power-brokers of Casamance coldly assess their business prospects for the coming season in the jargon of high finance (pp. 237–8). The technique is all the more noteworthy in that such scenes rarely require amplification or explanation from any intervening narrative voice. Very often the scenes have the succinctness of a thumb-nail sketch or vignette in which the characters paint themselves. As a result, the reader feels no sense of being directed towards any particular conclusion. Conflicting ideas are expressed without comment in both the discussions between 'les copains' and the conversation of the villagers. As with Faye's reluctance to theorize his feelings about racial or social conflict, the consequence is that a greater effort of interpretation is required from the reader in order to deduce the position of the author on the issues being treated.

The use of dialogue, and indeed the treatment of character as a whole throughout the novel, would thus seem to have strong connections with the African oral tradition. It is not so much a question of speech rhythms or linguistic structures as a more general attitude to participation. This is true on two levels. Just as the audience actively participates in the delivery of an oral narrative or poem, so Ousmane respects the freedom of his readers and places high demands on their ability to participate in the creation of meaning through an active reading of the text. Naturally, reader 'participation' is necessary for any reading of any novel. What is peculiar to Ousmane's technique is the division of the text into a series of small tableaux, generally of a dramatic nature. Such value judgements as Ousmane wishes to convey (condemning racist attitudes or illustrating the shortcomings of certain traditionalist viewpoints, for instance) are made through the orchestration of these scenes, rather than through authorial statements. So the degree and type of reader participation called for is the point at issue.

The concept of participation applies equally to his technique of characterization. Precisely because of the dramatic nature of many of these tableaux, Ousmane relies heavily on his ability to create an atmosphere and convey his meaning through the contributions of numerous minor characters. The overview is not directly stated by the narrative voice but is arrived at through the depiction of a variety of viewpoints and attitudes.

As a consequence of this 'dramatic' technique, the voice of the third-person narrator has a relatively restricted role in the novel. One of its functions is to clarify cultural references and to explain arcane vocabulary and customs, often with recourse to textual footnotes. But it is also used as a means of supplying additional information about events and characters. On such occasions, however, the narrative viewpoint is rarely an independent one. It is usually a method of adding psychological depth to the individual characters. The developing relationship between Isabelle and Rokhaya, for example, would be difficult to portray purely in dramatic form, given the language barrier separating the two characters, and so Ousmane provides a third-person account of inner feelings:

> Elle (Rokhaya) aurait voulu dire d'autres choses. Elle monologuait, secouant la tête. Sans doute regrettait-elle de ne pouvoir parler comme elle l'aurait voulu? . . .
>
> Quant à Isabelle, elle avait gagné. La vie est drôle parfois: on a peur de l'affronter, on hésite, on tâte le terrain, on brave un danger, surprise, ce n'était rien! Isabelle venait de conquérir un cœur où elle craignait ne pouvoir jamais trouver place. (p. 180)

Such excursions into the emotional depths of character are quite rare, and are generally associated with the fact that the characters are experiencing linguistic problems anyway. It is when Rokhaya is incapable of articulating her feelings at Faye's departure from the paternal home that the narrator intervenes on her behalf: 'Mélancoliquement, son regard semblait errer dans le lointain. Les aspérités de ses mains parlaient davantage. Un feu intérieur la brûlait. Elle avait mal, épouvantablement mal' (p. 115).

A second area where the 'dramatic' technique is inadequate is in the portrayal of Faye's relationship with the soil. The narrative voice finds a new lyrical dimension on the few occasions when the subject is broached. Once again, however, the narrative point of view is implicitly that of Faye himself, and in the striking passage where the land is compared to the body of a beloved woman, it is presumably in the mind of Faye that the metaphor is taking shape:

> Ah, qu'il aimait la terre, cette terre, sa terre, comme il la chérissait! Il en était jaloux. Il la comparait à une femme aimante, et aimée. Il faisait la chevelure de ses arbres; la chair de sa terre; les os de ses pierres; des rivières, son sang et de ses sources, ses regards; pour sa bouche: un fruit mûr; pour les seins: les collines. Il imaginait des mains, des bras invisibles, qui se défendaient, se rendaient et se fermaient. La forêt était sa toison mystérieuse, ses

genoux, sa force et sa faiblesse et pour voix elle avait le vent, le tonnerre ou le doux murmure de la nuit. (p. 143)

The personification of natural phenomena is a commonplace metaphor of the European lyrical tradition but, in its African context, this extended imagery has an almost religious significance. There are also sexual connotations here which are echoed towards the close of the novel when Faye is dreaming of a future mechanized model farm:

> A regarder travailler les jeunes gars, on aurait cru qu'ils voulaient faire mal à la terre, la forcer. . . . Ou bien, ils prenaient une poignée de terre fumante, la pétrissaient dans leurs doigts, la portaient contre leur visage, car elle leur semblait avoir la tiédeur et la douceur d'une joue de vierge. (pp. 246–7)

The African sensibility at work in the novel is most clearly expressed in this view of the soil as a feminine entity – wife and mother, productive of life and capable of sustaining life. It is a notion which Faye, elsewhere, expresses in so many words: 'Il ne faut pas aimer la terre pour ce qu'elle donne, il faut la chérir parce qu'elle est nôtre. Elle est une mère et une femme' (p. 217).

Another type of personification which occurs in the novel is to be found in the passages describing the scenery of Senegal. One example is at the opening of the novel, when the vegetation on the banks of the Casamance river is endowed with human, or at least animal, attributes:

> Sur la rive droite . . . la brousse précipitait l'avalanche de ses arbres qui se bousculaient avec fougue pour atteindre le fleuve. Les premiers se penchaient gloutonnement au-dessus de l'eau glauque; leurs branches et les lianes s'entrelaçaient dans un chaos ahurissant, véritable mêlée végétale. Creusés par les eaux et malmenés par cette furieuse poussée, les palmiers se couchaient sur le fleuve, offrant leurs troncs rugueux au repos des jeunes caïmans. (p. 79)

The account of the storm which breaks over la Palmeraie shortly after its completion provides another example of Ousmane's descriptive powers. The storm is portrayed first of all in terms of an orchestration of sounds:

> Plus rien que le bruit précipité des gouttes s'aplatissant sur la terre, le murmure des hautes cimes avec les notes basses des cocotiers et des roniers que bousculait la rafale; plus rien qu'une vaste orchestration de la tourmente où se mêlaient les cris joyeux des bambins s'ébattant sous les torrents d'eau. (p. 151)

Then the revolt of the elements is conceived in terms of a natural will seeking to overthrow human artefacts:

> l'ouragan gifla les fenêtres, chercha à démanteler la maison, résonnant comme si on eût fait dévaler de quelque montagne des tonnes et des tonnes de minérai . . . la rapidité de l'attaque allait croissant. Les coups contre les toits se faisaient plus forts et se répétaient à intervalles réguliers. Des doigts indiscrets, aussi fluides que l'éther et aussi durs que l'acier, cherchaient des fissures ou des fentes pour continuer la tâche entreprise et les transformer en larges brèches. (pp. 151–2)

These descriptive passages aside, it is only in the concluding paragraph of the novel that the narrative voice achieves anything resembling an independent point of view. The narrator finally steps back from the characters and offers an interpretation of the significance of Faye's life. Once again, the lyrical tone emerges to posit a relationship between the physical and the metaphysical. The African 'cult of the dead', according to which the deceased members of a clan continue to frequent the places they frequented in life, is as much in evidence here as is the body/soul dichotomy of the Judaeo-Christian tradition:

> Oumar Faye, lui, était bien mort et gisait dans la terre. . . . Ce n'était pas la tombe qui était sa demeure,

> c'était le cœur de tous les hommes et de toutes les femmes. Il était présent le soir autour du feu et le jour, dans les rizières. . . .
>
> Il précédait les semences, il était présent durant la saison des pluies et il tenait compagnie aux jeunes gens pendant les récoltes. (p. 256)

It is difficult to consider the language of the novel in terms of global rhetorical strategies. It would be a fruitless exercise to attempt to isolate sources or types of imagery in the novel as a whole, for example. The reason is that the novel is composed, in fact, of several different 'languages', or registers of speech. The generally dramatic treatment of events and the restricted functions ascribed to the narrative voice mean that the novel is composed in a series of styles rather than in a single style. Certainly, the African characters employ a more colourful and imaged language than the European characters or the educated Africans, whose speech tends to be more discursive and abstract.

References to the natural world and to the immediate physical environment are more frequent in the speech of Faye's family and their social milieu. It is also this group which make most frequent recourse to proverbs, another borrowing from the African oral literary tradition. Moussa, for example, introduces the following statements into his conversations with Faye: 'On ne connaît la valeur des fesses que lorsque vient le moment de s'asseoir' (p. 112) and, 'Quand une pierre tombe du ciel, rien ne peut l'arrêter' (p. 113). The effect is not merely to illustrate his point but to add the weight of tribal wisdom to the position he has adopted. It is a strategy which Faye himself uses when attempting to persuade the villagers to fight the plague of locust larvae: 'personne ne connaît la valeur d'une noix si elle n'est pas cassée' (p. 217). Likewise, in his negotiations with the king of Itylima's village he speaks in their language: 'Je n'ai pas un œil plus long que l'autre' (p. 175), and turns their superstitions against them: 'Prouve-nous que je porte malheur en mettant ta main au feu. Si elle ne se brûle pas, je retourne ce soir chez moi' (p. 175). Among the educated group of Africans, the schoolmaster, Seck, also favours proverbs and uses them to support his views. On the blacks who have turned to a life of crime in Europe, he says: 'Que le vent qui emporte les feuilles dans les gouffres ne les en sortent plus' (p. 148), and later he condemns the idea of reacting against racism with violence by quoting another proverb: 'qui court apres un âne pour lui administrer un coup de pied est aussi âne que l'âne' (p. 167).

Ô Pays, mon beau peuple! is instantly recognizable as an African novel, even on a cursory reading. The difficulty arises when attempts are made to separate 'form' and 'content', and to show that the language and style as well as the setting and themes are specifically 'African'. A case can be made to prove what is already known: the novel favours the dramatic mode, it demands a high degree of reader participation, it employs low registers of French, which are often direct translations of African speech and African idioms, and it employs proverbs and linguistic clichés which have little connection with any European tradition. But none of these elements of the text can, in the final analysis, be easily associated with a critical value judgement. They may argue for the African origin of the text but they do not automatically argue for its literary merit.

No doubt, the critical debate as to whether the francophone novel is African literature or French literature will continue. It will finally be decided not by the opinions of critics, but by history. It is in the interests of Europeans and Africans alike that the African continent should continue on the road to full development, that its culture should no longer be despised as inferior, or judged by European norms. The first step along that road is to listen to the Africans themselves, possibly without quibbling as to whether they are speaking in our voice or their own.

NOTES TO THE INTRODUCTION

1. L Kesteltoot (1974) *Black Writers in French,* Philadelphia, Temple U.P., p. 355.
2. J-P. Sartre (1949) 'Orphée Noir', *Situations iii,* Paris, Gallimard, p. 244. He expresses the same idea in slightly stronger terms when he says 'pour inciter les opprimés à s'unir ils doivent avoir recours aux mots de l'oppresseur'. ibid, p. 243.
3. E. Obiechina (1975) *Culture, Tradition and Society in the West African Novel*, Cambridge, CUP, p. 27.
4. N. Sarraute (1956) *L'Ère du Soupçon*, Paris, Gallimard.
5. E. Mphalele (1979) 'Writers and Commitment' in *Introduction to African Literature*, ed. Ulli Beier, London, Longman, p. xvi.
6. The term was coined by Aimé Césaire, who gave the name to one of the poems in his collection, *Cahier d'un retour au pays natal*, Paris, Bordas (1947).
7. See J-P. Sartre, op.cit.
8. The ideological emphasis of *négritude* is probably what annoyed a writer like Wole Soyinka of Nigeria, who makes a mockery of the Gallic tendency to over-theorize when he says 'The tiger does not proclaim its tigritude, it leaps on its prey.' Quoted by J. Chevrier (1984) *Littérature Nègre*, Paris, Armand-Colin, p. 42.
9. E. Obiechina, op. cit., p. 15.
10. G. Moore (1980) *Twelve African Writers*, London, Hutchinson, p. 21.

11. G.D. Killam (ed.) (1973) *African Writers on African Writing*, London, Heinemann, p. 149.
12. ibid., p. 149.
13. ibid., p. 149.
14. On the problem of language, Ousmane has this to say: 'I can assure you that, if I had taken the time, I could have written *Le Docker Noir* in Wolof. But then who would have read it? How many people know how to read the language? And if I had not taken the trouble at least to learn the grammar . . . I should not be in a position to write it; but then who is going to read me? And how many people, I speak only of Africans, is it going to affect? That is one of the contradictions of our life.' *African Writers on African Writing*, p. 151.
15. *Bingo* no. 222, July 1971, p. 58.
16. Speaking at a conference at Dakar University, Ousmane says: 'Even here, since mention has been made of Dakar University, what we have is only a continuation of the French University. This does not seem to me to be a good thing and, if you ask me why, I would say that it is because the people who come here, despite all they can do, have no regular contact with the mass of the people, not even with their own students. I know this is true because during the two or three days I have been in Dakar I have been making inquiries from the professors about how much contact they have with their students, and the answer is that, outside the classes, there is no contact at all. Apart from the classes, they never see their students and this is merely another example of what we are always denouncing as cultural imperialism.' *African Writers on African Writing*, p. 150.
17. *African Writers on African Writing*, pp. 148–9.
18. ibid, pp. 149–50.
19. 'I am not here to represent Senegal; I am not representing anyone but myself, Sembène Ousmane, although I belong to Senegal.' ibid., p. 148.
20. P.S. Vieyra (1983) *Le Cinéma au Sénégal*, Brussels, Éditions OCIC/L'Harmattan, p. 153.
21. Ousmane's even-handedness as author seems to have been directly transferred to Faye in the novel. His objectivity is mentioned very early on in the following terms: 'Il avait . . . beaucoup appris pendant ses années d'Europe . . . il en était même venu à juger sans indulgence ses frères de race; leur sectarisme, leurs préjugés de castes qui semblaient rendre illusoire toute possibilité de progrès social, leur particularisme

et jusqu'à la puérilité de certaines de leurs réactions "anti-blancs".' (pp. 82–3)

22. Moussa, in fact, repeats almost verbatim some of his wife's preoccupations: 'Comment allez-vous vivre ici?. . . . Ta femme ira-t-elle puiser de l'eau? Pilera-t-elle le mil ou-bien le feras-tu à sa place? . . . Si elle ne nous dédaigne pas, peut-être pourra-t-elle plonger sa main blanche dans le *geule* . . .' (sic) (pp. 111–12). Both are capable, however, of a less studied, more emotional form of racism – Rokhaya, when she exclaims to Faye: 'Je hais ta femme! Je hais tous les tiens! Je n'aurai plus de repos tant qu'ils vivront ici! (p. 116), and Moussa, when he sums up the white race with the words: 'Leurs paroles ne valent pas la fiente d'une poule.' (p. 138)
23. The exact way in which blacks themselves tend to be racist is not examined as deeply in this novel as it is elsewhere in Ousmane's work. Here are two detailed denunciations from *Véhi Ciosane* which perhaps go some way to explaining what Faye is implying:

    quand cesserons-nous de recevoir, d'approuver nos conduites, non en fonction de NOTRE MOI D'HOMME, mais de la couleur des autres. Certes la solidarité raciale existe, mais elle est suggestive. Cela est si vrai que la solidarité raciale n'a pas empêché les assassinats, les détentions illégales, les emprisonnements politiques des dynasties régnantes en Afrique noire. (op. cit. p. 15)

    and

    La débilité de l'HOMME DE CHEZ NOUS – qu'on nomme notre AFRICANITÉ, notre NÉGRITUDE – et qui, au lieu de favoriser l'assujetissement de la nature par les sciences, maintient l'oppression, développe la vénalité, le népotisme, la gabegie et ces infirmités par lesquelles on tente de couvrir les bas instincts de l'homme – que l'un de nous le crie avant de mourir – est la grande tare de notre époque. (op. cit. p. 16)

24. The mood of 'les copains' is summarized thus by Ousmane: 'Ils aspiraient à une Afrique où ils ne vivraient plus un drame provoqué par le heurt de deux races en présence.' (p. 107)
25. Ngoné War Thiandum, a character in *Véhi Ciosane*, finds this emphasis on the will of Allah equally unpalatable. She concludes: 'S'il est vrai que tout était decidé par Yallah, pourquoi la morale? Pourquoi exalter le bien et flétrir le mal? (op. cit. p. 36)

26. Martin Bestman, in his book on Ousmane, outlines three main reasons for the development of polygamy in African society. Firstly, there is a metaphysical foundation for it in the African cult of ancestors, according to which the dead enjoy an after-life only so long as their line does not die out. Hence the desire for ensuring the continuation of a family by taking several wives. Secondly, in a rural society there are social and economic advantages to having several wives and children to help with the heavy agricultural work. The extended family also provides a ready-made structure for caring for the sick and the orphaned. Thirdly, he argues that the custom of abstinence from sexual activity after the birth of a child, often for a period of one to two years, was a way of protecting women from the health risks involved in bearing children at too short intervals. See Bestman, M.T. (1981) *Sembène Ousmane*, Quebec, Namaan, pp. 69–71.
27. 'Ses trois jours' in *Voltaïque*, Paris, Présence Africaine (1962).
28. In *Les Bouts de bois de Dieu*, where Ousmane gives an account of a strike by the Dakar-Niger railwaymen, the problem of family allowances proves to be one of the major problems. See *Les Bouts de bois de Dieu*, Presses Pocket, Paris (1971) p. 269 *passim*.
29. *Bingo*, no 222, July 1971, p. 59.
30. 'Je désire participer à la construction de mon pays et à l'édification de la société humaine.' *Afrique*, no. 25, June 1963, p. 49.
31. This sentiment is echoed in a letter from Isabelle's father which is a model of good sense on this question, as it is on the question of racial conflict. He writes: 'Être pour le progrès ne veut pas dire qu'on doive renoncer aux vieilles traditions' (p. 199). And on the race problem, he continues: 'c'est avec fierté que je dis: "Mon gendre est un noir." Ce n'est pas la race qui fait l'homme, ni la couleur de sa peau' (p. 199)
32. In conversation with Isabelle, this is how Faye tries to express the alienation felt by a colonized people: 'nous sommes des sans-patrie, des apatrides. Quand les autres disent: "Nos colonies", que pouvons-nous dire, nous?' (p. 185)
33. *Afrique*, no. 25, June 1963, p. 49.
34. A. Irele, (1981) *The African Experience in Literature and Ideology*, London, Heinemann, p. 41.
35. S. Ousmane, *Les Bouts de bois de Dieu*, Paris, Presses Pocket, p. 277.

36. In an interview published in *Afrique*, Ousmane explains clearly the role he would like to see allotted to French in the future, while admitting his own limitations with regard to Wolof: 'Je voudrais que le français devienne une deuxième langue, comme l'anglais ou le chinois, pas plus . . . je ne possède pas complètement ma langue maternelle.' op. cit., p. 49.

SELECT BIBLIOGRAPHY

REVIEWS

1. 'Entretiens avec Sembène Ousmane', *Afrique* no. 25, June 1963, pp. 47–9.
2. 'Sembène Ousmane, à bâtons rompus', *Bingo* no. 222, July 1971, pp. 57–8.

BOOKS

Beier, U. (1979) *Introduction to African Literature*, London, Longman.

Bestman, M.T. (1981) *Sembène Ousmane et l'esthétique du roman*, Quebec, Namaan.

Blair, D.S. (1984) *Senegalese Literature: A Critical History*, Boston, Twayne.

Chevrier, J. (1984) *Littérature nègre*, Paris, Armand-Colin.

Erickson, J.D. (1979) *Nommo, African Fiction in French South of the Sahara*, York, S. Carolina, French Literature Publications Company.

Heywood, C. (ed.) (1971) *Perspectives on African Literature*, London, Heinemann.

Irele, A. (1981) *The African Experience in Literature and Ideology*, London, Heinemann.

Kesteltoot, L. (1974) *Black Writers in French*, Philadelphia, Temple U.P.

Killam, G. (1973) *African Writers on African Writing*, London, Heinemann.

Moore, G. (1980) *Twelve African Writers*, London, Hutchinson.

Obiechina, E. (1975) *Culture, Tradition and Society in the West African Novel*, London, Cambridge U.P.
Palmer, E. (1979) *The Growth of the African Novel*, London, Heinemann.
Pfaff, F. (1984) *The Cinema of Sembène Ousmane*, Connecticut, Greenwood Press.
Roscoe, A. (1977) *Mother is Gold*, London, Cambridge U.P.
Sartre, J-P. (1949) 'Orphée Noir', *Situations iii*, Paris, Gallimard.
Smith, R. (ed.) (1976) *Exile and Tradition*, Dalhousie U.P. Africana Publishing Company.
Vieyra, P. (1972) *Sembène Ousmane: Cinéaste*, Paris, Présence Africaine.
Vieyra, P. (1983) *Le Cinéma au Sénégal*, Brussels, Éditions OCIC/L'Harmattan.

FURTHER READING

A wide selection of francophone African literature is available in Presses Pocket. These and other texts are obtainable through modern languages booksellers, or from Présence Africaine, rue des Écoles, 75005 Paris. The most comprehensive collection of African Literature available in English is in the African Writers Series, published by Heinemann.

Mongo Beti, (1954) *Ville Cruelle*, Paris, Éditions Africaines.
(1956) *Le Pauvre Christ de Bomba*, Paris, Laffont.
(1957) *Mission Terminée*, Paris, Buchet/Chastel.
(1974) *Remember Ruben*, Paris, Union Générale d'Éditions.
Malick Fall, (1967) *La Plaie*, Paris, Albin Michel.
Cheikh Hamidou Kane, (1962) *Aventure Ambigüe*, Paris, Julliard.
Camara Laye, (1952) *L'Enfant Noir*, Paris, Plon.
(1954) *Le Regard du Roi*, Paris, Plon.
(1966) *Dramoussa*, Paris, Plon.
(1978) *le Maître de la Parole*, Paris, Plon.
Ferdinand Oyono, (1956) *Une vie de Boy*, Paris, Julliard.
(1956) *Le vieux nègre et la médaille,*, Paris, Julliard.
(1960) *Chemin d'Europe*, Paris, Julliard.
L.S. Senghor, (1964) *Poèmes*, Paris, Seuil.

SELECT LIST OF WORKS BY OUSMANE

Novels

1956 *Le Docker Noir*, Paris, Nouvelles Editions Debresse.
1957 *Ô Pays, mon beau peuple!*, Paris, Le Livre Contemporain, Amiot-Dumont.
1960 *Les Bouts de bois de Dieu*, Paris, Le Livre Contemporain, Amiot-Dumont.
1964 *L'Harmattan, Livre I: Reférendum*, Paris Présence Africaine.
1973 *Xala*, Paris, Présence Africaine.
1981 *Le Dernier de l'Empire*, Paris, L'Harmattan.

Short Stories and Novellas

1962 *Voltaïque*, Paris, Présence Africaine.
1965 *Véhi-Ciosane ou Blanche de la Genèse*, followed by *Le Mandat*, Paris, Présence Africaine.

Films

1962 Documentary on Timbuctou (never on public release)
1962 *Borrom Sarret* (Le Charretier). Now a classic of African cinema.
1965 *Niayes* A film about incest and suicide which caused something of a scandal on its release.
1966 *La Noire de . . .* Shown at the Festival Mondial des Arts Nègres at Dakar in the same year.
1968 *Véhi-Ciosane*
1969 *Le Mandat* An indictment of the heavily bureaucratic world of Dakar officialdom and its catastrophic effects on ordinary people. The film won a prize at the Venice Film Festival, 1969.
1969 A film on polygamy, commissioned by ORTF.
1970 *Taw*
1971 *Emitaï* Set during the Second World War, this film gives an account of attempts by the French military to recruit Africans from the Casamance region for active service. It won the silver medal at the Moscow Festival, 1971.
1974 *Xala* (*Impotence*) A critical view of Dakar's ruling élite, and an indictment of polygamy.
1976 *Ceddo* An analysis of the political implications of religious practices.

Ô PAYS, MON BEAU PEUPLE!

A ODETTE A. ET GINETTE C.

L'amour ne se soucie pas plus de caste ni de race, que le sommeil d'un grabat. J'allais en quête de l'amour et je me suis perdu. . . .

PREMIÈRE PARTIE

1

Le bateau reprit sa lente remontée du fleuve. L'eau était lourde et jaune; d'un côté de la nappe s'étendait une plaine couverte de joncs, refuge des caïmans. Au-delà, on apercevait la lisière sombre de la brousse aux mille dangers. Des oiseaux au vol pesant passaient en escadrilles au-dessus des roseaux, les effleurant de leurs ailes; des marabouts, après avoir pêché abondamment dans les mares, s'élevaient à des hauteurs vertigineuses. Sur la rive droite dont le navire se rapprochait maintenant davantage, la brousse précipitait l'avalanche de ses arbres qui se bousculaient avec fougue pour atteindre le fleuve.* Les premiers se penchaient gloutonnement au-dessus de l'eau glauque; leurs branches et les lianes s'entrelaçaient dans un chaos ahurissant, véritable mêlée végétale. Creusés par les eaux et malmenés par cette furieuse poussée, les palmiers se couchaient sur le fleuve, offrant leurs troncs rugueux au repos des jeunes caïmans; leurs palmes abandonnées au courant semblaient des algues flottantes.

L'obsédant parfum des lianes fleuries se mêlait par bouffées à des odeurs d'huile chaude et de fumée.

L'homme sortit une cigarette de sa poche, l'alluma machinalement sans cesser de contempler la beauté massive de cette végétation. A ses côtés, sa compagne paraissait perdue.

A mesure que le bateau avançait, l'estuaire s'élargissait, le panorama devenait plus impressionnant. Les grands arbres s'éloignaient du fleuve et apparaissaient alors des berges vaseuses où des palétuviers formaient une longue ligne vert sombre d'une égalité monotone; leurs racines jaillissaient hors de l'eau, chargées de grappes d'huîtres monstrueuses que la marée couvrait et découvrait tour à tour. Les macreuses - et autres habitués des marécages - s'envolaient au bruit des machines par groupes innombrables et les pélicans dérangés de leur farniente à fleur d'eau s'éloignaient pesamment en file. Du ciel, des aigles-pêcheurs fonçaient sur des bancs de poissons qui descendaient le fleuve; ils saisissaient entre leurs serres carpes ou brochets, qu'ils emportaient dans les airs avec de grands cris victorieux. Des bandes d'oies et de canards sauvages zébraient la rivière de leur vol. Et, sous les palétuviers, des martins-pêcheurs, comme poursuivis par la fumée du bateau, changeaient inlassablement de place, faisant glisser d'une branche à l'autre l'éclat rapide de leur plumage étincelant.

De ses yeux marron au blanc injecté de sang, l'homme regardait avidement la nature; la cigarette se consumait entre ses doigts. Se retournant alors vers la femme, il dit d'un ton grave:

- Le Douanier Rousseau* aurait su voir ça . . . Dommage qu'il ne soit pas venu ici.

Le timbre de cette voix avait quelque chose de prenant; elle était si basse qu'elle paraissait vibrer plus longuement dans l'air.

- C'est vrai, répondit-elle.

Puis, sans plus parler, ils regagnèrent leur cabine.

Soudain, un gros nuage cacha le soleil et, sans crier gare, la pluie se mit à tomber avec un fracas assourdissant. Dans la coursive, ce fut un tumulte désordonné, car les passagers qui étaient parqués sur le pont avant s'y précipitèrent pour s'abriter.

– Regagnez vos places, tas d'imbéciles! cria un homme de peau blanche, que les noirs regardaient craintivement.

Il appela un steward pour qu'il explique à ses compatriotes qu'ils n'avaient pas le droit de rester là. L'employé obéit, mais personne ne voulut retourner sous la pluie; alors le blanc se mit à distribuer des coups, des coups que le furieux donnait avec une chicotte. Il frappait, vidant sa rage d'être désobéi. Il tapait à droite et à gauche, sans se soucier de l'âge ni du sexe. Cela fit une terrible bousculade dans l'étroite coursive où certains tombèrent.

Soudain l'homme, pris par un crochet au menton et repris par un autre au ventre, s'écroula.

Debout devant lui, le noir attendait, ses bras démesurément longs touchant presque ses genoux, ses poings fermés prêts à cogner de nouveau. L'autre, ne pouvant encore revenir de sa surprise, se releva lentement, les yeux sur le géant noir, et se contenta d'essuyer au revers d'une manche immaculée le sang qui coulait de sa bouche.

Face à face, à présent, ils se dévisageaient; seule la femme, avec ses bras frêles, les tenaient à l'écart l'un de l'autre.

– Assez, Faye, supplia-t-elle.

Tels deux chiens, ils se toisaient furieusement. Les noirs n'en revenaient pas. Quel était ce colosse qui s'attaquait au tabou? Ils n'en savaient rien. Frapper un blanc! Pour moins que cela des frères moisissaient en prison! Surgissant de partout, les occupants des cabines se demandaient: «Est-ce les nègres qui se révoltent?»

Sur toutes les faces noires la crainte était visible. Une femme pleurait, la tête de son bébé saignait; le révolté, que la femme blanche avait appelé Faye, se fraya un passage au milieu des siens,* prit l'enfant pour le remettre à sa compagne qui le suivait.

– Fais-le soigner par le maître du bord . . .

Personne n'avait encore osé lui poser de questions. Depuis que, la veille, il avait pris passage à Dakar, il n'avait ouvert la bouche que pour manger ou pour parler très bas avec sa compagne. A bord, il avait éveillé la curiosité, tant chez les blancs que chez les noirs, par son mutisme et aussi à cause de cette femme blanche qui le suivait comme son ombre.

Elle revint bientôt avec le petit, la tête bandée de linge, dans ses bras.

- Merci, Madame, lui dit la négresse.

Faye Oumar était casamancien; il retournait au domicile paternel après huit ans d'absence, ayant quitté le pays natal comme nombre de ses camarades, pour aller faire la guerre en Europe; il rentrait quatre ans après la victoire. Après avoir parcouru l'Afrique du Nord et la France, il s'était arrêté à Baden-Baden; on l'avait ensuite démobilisé et il s'était marié avec une blanche. Blessé deux fois, il avait été décoré de la médaille militaire et de la croix de guerre; bien qu'il ne les portât presque jamais, il conservait jalousement ces médailles.

De retour à leur cabine, il s'allongea sur le lit étroit, les bras croisés sous la tête.

- Pourquoi t'es-tu encore bagarré? Pour te faire remarquer? dit la femme près de lui. Avec eux, tu ne gagneras jamais.

- Que voulais-tu? Qu'il les frappe et que, moi, je croise les bras? Ou que je l'aide, peut-être?

Il dit ensuite plus doucement, comme pour excuser la brutalité de sa réponse.

- Nous arrivons d'un moment à l'autre . . . Les bagages sont faits?

Mais il pensait à ce que venait de dire la jeune femme: «Tu ne gagneras jamais.» En Afrique, les blancs sont les maîtres et, en s'attaquant à eux, on va au-devant de la défaite.*

Faye, sur de nombreux points, avait parfaitement assimilé les modes de pensée, les réactions des blancs, tout en ayant conservé au plus profond de lui l'héritage de son peuple. Il avait beaucoup vu, beaucoup appris pendant ses années d'Europe; d'importants bouleversements s'étaient produits en lui, il en était même venu à juger sans indulgence ses frères de race: leur sectarisme, leurs préjugés de castes qui semblaient rendre illusoire toute possibilité de progrès social, leur particularisme et jusqu'à la puérilité de certaines de leurs réactions «antiblancs».

Elle regardait son visage au nez légèrement épaté, au front lisse que barrait une veine saillante qui disparaissait sous une chevelure semblable à de l'astrakan.

Sa peau à elle, très blanche, offrait un contraste lumineux avec celle de l'homme; son corps élancé - elle était grande - était moulé dans un tailleur de lin blanc; par moments, elle inclinait la tête, comme si sa longue chevelure pesait à son cou; ses sourcils étaient bien dessinés. Elle n'était pas vraiment belle, mais elle avait la beauté de ses vingt-deux ans.

Là où elle allait, Isabelle savait ce qui l'attendait. Ce n'était peut-être pas un voyage d'agrément, mais elle serait avec son mari. Ce qu'il lui avait appris des mœurs et des coutumes de son pays, ce qu'elle avait lu aussi, l'aiderait à amortir les chocs que ne manqueraient pas de provoquer les croyances et le fanatisme de cette nouvelle famille. Et puis, elle avait une telle confiance en lui, une confiance sans bornes! Elle ne lui demandait jamais de comptes, elle ne s'occupait que de lui et le rappelait parfois à la raison. Ils étaient beaucoup l'un pour l'autre, ils se donnaient la main, marchant sur deux routes parallèles et, pour l'avenir, elle était sa force.

Quand le télégramme arriva ce jour-là à Fayène (maison des Faye), à Santhiaba, toute la famille fut vite au courant de la nouvelle. Moussa Faye ne prenait jamais une décision à la légère. Le retour de son fils et de sa bru ne devant avoir lieu que le lendemain, il prit le temps de réfléchir. Il était l'iman de la mosquée* et on le vénérait non seulement à cause de ce titre, mais également pour son âge. Il guidait cinq fois dans la journée les disciples de la religion. Tout, pour lui, était dit dans le Coran* et c'est dans le livre sacré qu'il puisait ses jugements et ses conseils. Il passait pour sévère, dur même, mais il était aimé de tous et souvent le tribunal faisait appel à sa sagesse. Ses trois épouses le rendaient encore plus vénérable aux yeux des croyants. Le vieux Moussa Faye gouvernait sa barque à sa façon, jamais de disputes entre ses femmes.* Elles avaient chacune leur tour dans le lit conjugal. La première, Rokhaya Guéye, n'avait pas d'autre enfant que son fils Oumar Faye, aussi la nouvelle l'affecta-t-elle plus que quiconque. N'avait-elle pas déjà choisi une promise à son petit? Que dirait-elle à la famille? Bien qu'étant la première épouse, Rokhaya Guéye ne jouissait d'aucun privilège à l'égard des autres.

La deuxième épouse, Aminata, était mère de deux garçons et d'une fille. Quant à la dernière, Fatou, elle avait deux filles. Toutes trois possédaient les mêmes droits maternels sur Oumar, mais seule sa vraie mère souffrait en apprenant le mariage de son fils.

Ce fut l'oncle Amadou, qui demeurait dans la même concession avec ses deux femmes, ses trois garçons et ses deux filles, qui vint expliquer le texte du télégramme à son frère. Celui-ci, assis sur une natte, la tête baissée, égrenant son chapelet, ne prononça pas une parole.

Les Faye au complet attendaient sans rien dire; Moussa enfila ses babouches et sortit pour se rendre à la mosquée, les mains croisées derrière le dos.

Les causeurs étaient nombreux sous l'arbre de «palabre»* en face du lieu sacré. L'approche de l'heure de la prière les réunissait.

Il y avait là tous les habitués. M'boup, le plus âgé; ses membres débiles ne pouvant supporter le poids de son corps, il marchait courbé en deux, s'appuyant sur une canne de chasseur alpin, aidé de son frère qui avait le poil blanc; il y avait aussi Assane Sarr, le vétéran pêcheur venu du Guet N'dar avec sa pirogue pour passer la saison sèche, il y avait de cela des saisons et des saisons; puis, Malik Diop, père de quatre filles et qui comptait sur les dots* pour finir ses jours dans la quiétude de la vieillesse; Thiam, aussi habile à fabriquer une houe qu'un bijou d'or ou d'argent pour les bras, le cou et les chevilles; Massiré N'gom, qui n'avait pas son pareil dans la connaissance des racines d'arbre et qui poussait la prétention jusqu'à se comparer au guérisseur *toubab* (blanc), et enfin Samba Raba, le tisserand avec son métier, qui prenait part à la causerie sans arrêter de pédaler. Le grincement des bois qu'il ne graissait jamais invitait les *dieuguènes* (femmes) à jeter un coup d'œil sur les bandes d'étoffe aux couleurs vives et variées. Tous les notables de la Croyance étaient là.

– Avez-vous passé l'après-midi en paix?

– Paix seulement, répondait l'assemblée, et la famille?

– En paix, et vos familles?

– En paix, disaient les gens assis.

– Que la paix augmente en ce saint lieu, dit Moussa en s'accroupissant.

– Moussa, je voulais te demander quelque chose . . . sur un bruit qui court en bas, dit le tisserand cessant de travailler. Est-ce vrai ce que j'ai entendu?

Comme il se tut soudain, le vieux lui répliqua:

– Comment pourrai-je savoir si c'est oui ou non, si tu n'en dis pas davantage?

– On dit que ton fils arrive avec une femme blanche, s'il plaît à Dieu, demain?

– C'est après la prière de «Thisbar»* qu'Amadou m'a mis au courant . . . Samba, pardonne-moi, mais je veux savoir une chose à mon tour: du lever jusqu'au coucher du soleil, tu es devant ton métier, ne le quittant que pour tes besoins naturels; mais de l'ouest à l'est, du sud au nord, tu sais tout ce qui se passe. Comment expliquer cela?

– Le serpent n'a pas de pieds, mais Dieu le fait marcher.

– Tu peux m'étonner, moi, mais pas Dieu.

– Qui vivra verra, philosopha Demba M'boup, les fils de maintenant ne sont plus des fils . . .

Puis changeant de sujet:

– Où vont-ils habiter?

– Chez son père, rétorqua Massiré, le fils n'a que la maison de son père.

– Du temps de feu mon père, je n'aurais jamais eu le courage de me mettre en pantalon fourchu. Ah! le monde va en voyage!

– Tu dis la vérité, M'boup, interrompit l'artisan. A Dakar, les jeunes filles et les jeunes gens sortent toutes les nuits pour aller au bal. Je me demande jusqu'où ira la perversion. Ils imitent les blancs dans leur débauche. La boisson et les maladies les rendent méconnaissables aux yeux mêmes de leur mère. Quant aux filles, leurs manières de s'habiller laissent tout voir de leurs formes . . .

– Tu dis la vérité, Samba! La première fois que j'étais à Saint-Louis,* j'ai vu de mes yeux, au quartier de Lodo, un bal où hommes et femmes dansaient si serrés que, lorsqu'on a un esprit étroit, il est permis de penser à tout autre chose . . . Ah! Que Dieu vous garde de cette vision.

– Amine, Amine.

– Que voulez-vous, s'il y a une telle mortalité chez les enfants, c'est parce qu'ils délaissent leurs coutumes ancestrales, le chemin de Dieu, et voilà que l'on se plaint du manque d'eau. Dieu nous punit . . .

S'arrêtant de parler, il se moucha avec ses doigts qu'il essuya au talon d'un de ses *samaras* (sandales).

– Les toubabs se fâchent et augmentent le prix des écheveaux . . .

– Pardonne-moi, fils de Guet N'Dar, si je coupe ton cou (1), jeta de nouveau le tisserand qui prenait un grand plaisir à renseigner tout le monde . . . Ce que vous ne savez pas, c'est que les jeunes veulent chasser les hommes blancs. Ils s'appellent entre eux les «Rouges» . . . Ils disent qu'après, ils se partageront tout, qu'il n'y aura plus de chemin de Dieu, rien que manger et faire l'amour.

– Ce qu'a dit Moussa est vrai, Samba: tu ne quittes jamais ce lieu où tu es, et tu sais tout; moi qui suis l'aîné, je n'ai

(1) Expression africaine signifiant: interrompre.

jamais entendu cela; dis-nous si la nuit tu te métamorphoses en hyène ou quoi? Où les passes-tu, les nuits?

Le tisserand avait la réputation de tout savoir d'avance et beaucoup le craignaient, car, disait-on, il était de ceux qui se changent en bête pour courir la nuit dans la brousse. Ayant réponse à tout, il disait souvent en touchant son nez:

- Tant que votre nez sera sur votre visage, vous direz que j'ai raison.

Puis il se remettait à l'ouvrage.

- Je crois qu'il est l'heure de la prière, dit Moussa qui observait le ciel.

De l'unique poche de son boubou, le plus âgé sortit une montre et dit:

- Il reste encore un peu de temps.

Et il se mit à raconter: «J'ai fait la guerre de 1914–18. Moussa, présent là, était venu me joindre en 15, je m'en souviens comme du couscous que j'ai mangé hier soir. Blaise Diagne est venu me serrer la main, car j'étais «caparal» (caporal), puis il nous réunit en disant que le roi de Tougueul comptait sur nous pour chasser les Allimands (Allemands). Je ne vous dirai rien de Verdun, ni des Dardanelles, ni de Salonique, c'est là où sont morts des milliers de tirailleurs. J'ai perdu un oncle et un frère. C'est là-bas aussi que j'ai pris le gaz qui me reste encore dans la poitrine. Je n'ai jamais vu autant de cadavres. Nous montions à l'attaque malgré le froid, avec nos coupe-coupe. Les soldats blancs répétaient avec nous: «*Lakhactdiacoume*» (1)! Après j'ai été décoré par le colonel . . . Oui! Mes médailles, je les ai gagnées, même c'est là qu'on m'a fait cadeau de ce bâton, dit-il en montrant sa canne . . . Et j'avoue avoir eu des relations avec des femmes toubabs, un homme est un homme sous tous les cieux du monde, mais, vérité pour vérité, il ne m'était jamais venu à l'esprit de me marier avec l'une d'elles, ni de l'amener ici . . .

(1) Verset du Coran que les musulmans récitent au cours d'une bataille pour se préserver des balles ennemies.

– Une chose, je sais que tu dis la verité, mon grand frère, mais au temps des *Damels* (anciens rois du Haut-Sénégal) de M'boula Saloum (1), où j'ai vu le jour, chaque homme qui partait pour la bataille promettait d'amener une esclave. Il faut reconnaître que le sang des Faye coule dans son corps.

– Tu es un griot*, Massiré, dit avec colère le doyen, se sentant défié. Tu dois parler le dernier et te taire le premier.

– Je suis le griot de Dieu!

– Que Dieu nous pardonne, il est l'heure, fit l'iman.

Massiré, près de la porte de la mosquée en bois, porta ses deux mains à sa bouche en forme de haut-parleur et appela tous les fidèles à la prière. Sa voix grave se perdait dans le lointain, les passants se retournaient pour mieux l'entendre; s'ils ne comprenaient pas les mots arabes, ils savaient à quoi elle était destinée; animée et chantante, elle parlait mieux à leur cœur que la voix mécanique et sans conscience.

Aussitôt ils se dispersèrent à la recherche d'une bouilloire ou d'un pot pour faire leurs ablutions sacrées, qui consistent à purifier leurs extrémités. Pour eux, la vie n'est rien; seuls les actes religieux ont une valeur; leur existence n'est qu'un trait d'union entre la naissance et la mort. Un chemin sans bifurcation. Après les génuflexions, ils attendront l'ultime prière qui aura lieu au premier sourire du soir, c'est-à-dire à l'apparition des étoiles. Et, tranquillement, insouciants, ils s'éparpilleront, après s'être souhaité une douce nuit.

La voix du muezzin* parvenant aux habitants de Fayène arracha Rokhaya Guéye à ses lamentations. La prière était obligatoire pour tous. Bientôt les femmes surgirent de tous les côtés et se rangèrent derrière les hommes; puis ce fut le tour des bambins et, tout en les guidant, elles répétaient les mêmes versets du Coran qu'à quelque distance de là leurs maîtres psalmodiaient. Avec abnégation, elles se pliaient au rite de la prière; elles se courbaient, se relevaient, s'asseyant par terre avec grâce dans un mouvement d'ensemble par-

(1) Nom de deux cantons du Sénégal.

fait; le pagne blanc ou le *tiavali* (1) couvrait leur tête. Quelque chose de très pur montait dans le soir. Elles ressemblaient à ces femmes de nomades que l'heure sainte surprend en plein bled et qui ne se préoccupent plus que de la minute présente. A la fin de la prière, les têtes allaient de gauche à droite et de droite à gauche, les index s'agitaient de haut en bas, les lèvres s'ouvraient et se refermaient dans un bruit de salive, et puis apparaissait le chapelet en ébène incrustée de fils d'argent ou en perles de corail dont les grains bruissaient doucement en glissant entre les doigts.

Comme dans un enchantement venait la nuit. Dans la pénombre, la masse en prière ne se distinguait plus que par la clarté des pagnes. Enfin chaque femme regagna sa demeure, mais avant de se séparer, elles joignaient les mains dans un geste fraternel d'amour envers Dieu en portant l'index à leur visage.

A Fayène, au beau milieu de la pièce centrale, hommes et femmes assis autour du repas plongeaient leurs mains dans le plat familial; c'était la soupe du soir. Un aveugle debout sur le seuil de la porte quémandait d'une voix criarde:

- Être de Dieu,* donne ton *m'batou* (sébille), dit le maître.

L'infirme, appuyé sur son bâton, avança à tâtons, aidé par la finesse de son ouïe, et tendit un récipient qu'on emplit.

- Que Dieu vous accorde sa demeure, que son infinie bonté vous conduise dans son paradis et vous guide en ce bas monde . . . Que le Saint Prophète vous prenne en sa sainte protection, que le mal s'acharne sur vos ennemis, qu'Allah vous préserve de la tentation.

Ils répondaient tous «Amine, Amine», tandis qu'il continuait à réciter:

- Que Dieu vous donne la longévité; que vous puissiez voir les enfants de vos enfants et ceux-ci leurs petits-enfants.

Ils redisaient «Amine, Amine», interminablement.

(1) Pagne blanc passé à l'indigo. Le milieu est bleu, les côtés rouge foncé rayé de blanc ou autres teintes.

Le mendiant partit enfin.

- Seynabou, tu balayeras demain la chambre des étrangers, ordonna Amadou à sa fille aînée.

- Ton frère arrive avec sa femme, ajouta Rokhaya avec colère.

- Ce qui est fait est fait. Tu n'as pas plus d'autorité que moi sur ton fils à présent. Il faut comprendre que s'il ne voulait pas de nous, il ne serait pas revenu.

- Il aurait mieux fait de mourir à la guerre que faire ce qu'il a fait. Si . . . si seulement je m'étais doutée de ça, je l'aurais étranglé de la main que voici, dit-elle, sortant sa main du plat pour la montrer.

- Pense que les enfants t'entendent, fit remarquer son mari.

Pour toute réponse, elle dit en se levant:

- Passez la nuit en paix!

Elle ne dormit pas. Ses premières années de mariage passaient et repassaient dans sa tête fatiguée. Ses premiers enfants étaient tous morts en naissant. Cela était dû - disait-on - au mauvais œil qui s'acharnait sur elle. Dès le début de sa nouvelle grossesse, elle décida, pour éviter que son enfant ne meure, de parcourir la contrée à la recherche d'un sorcier. (Dans un pays où la stérilité est bannie, une femme ne peut vivre sans rejeton parmi ses rivales. Dans plusieurs cas, le divorce est exigé, la dot rendue et la honte rejaillit sur la famille. Mais il arrive que la femme se remarie et mette au monde un descendant.)

C'est par une nuit semblable à celle-ci que Rokhaya avait donné naissance à un garçon. Elle avait pleuré tout son saoul, non à cause de la douleur, mais du doute qui subsistait encore en son cœur. Elle avait absorbé toutes sortes de breuvages, s'était entourée de gris-gris, de cornes, d'amulettes et de racines* pour se préserver du mauvais œil. Huit jours après la naissance, elle avait fait à l'enfant un trou dans le lobe de l'oreille gauche en lui donnant le surnom de «Hare-Yala» (Attends Dieu). Durant sept ans, tous les vendredis, vêtue de haillons, elle s'était humiliée en demandant l'aumône. Personne n'ignorait la raison de cette mendicité et ses randonnées avaient valu une sympathie mêlée de pitié à cette mère qui voulait que, par tous les moyens, son nourrisson vive. Les vieilles ne manquaient pas en l'occurrence de la conseiller.

Puis, ce fut aux maladies qu'elle disputa le petit. Lorsqu'il présenta les premiers symptômes d'une maladie infantile, elle ne voulut voir aucun «doctor». C'est à ce moment qu'elle fit ses débuts de sorcière. Elle sortait la nuit pour ne rentrer qu'à l'aube, son enfant sur le dos. Rien ne comptait plus pour elle, il fallait que l'enfant vécût. Quand la seconde épouse fut introduite dans le ménage, elle y trouva un soulagement et s'adonna plus librement à sa sorcellerie. Puis vint la troisième qui la soulagea encore plus.

On disait qu'elle était un peu folle, mais elle avait acquis une connaissance très profonde de la maternité. On la consultait souvent sur les défauts des filles; des mères venaient la voir au sujet de leur gendre, et de son mieux elle les aidait. Ses rivales qui, au début, avaient peur d'elle, se sentaient protégées.

Quand elle se sépara de son fils, celui-ci venait d'atteindre ses dix-neuf ans. On avait besoin de soldats pour le pays des toubabs. La douleur, ce jour-là, faillit la rendre folle; le vendredi qui suivit l'annonce du départ elle s'enferma avec lui et lui recommanda de ne pas se séparer des fétiches qu'elle lui remettait, lui rappelant que tel bois devait être jeté en mer, que telle poudre devait être bue avant d'absorber quoi que ce soit de *tougueul* (européen).

Son garçon partit et, durant les hostilités, régulièrement ses nouvelles lui parvinrent de tous les points du front. Quand elle reçut l'annonce de sa blessure, elle en fut malade, pleurant comme si son Hare-Yala était mort. Elle sortit même des *oboles* (1), certains finirent par le croire.

(1) Aumônes. Chez les musulmans, quarante jours après l'enterrement, on fait des oboles pour le repos de l'âme du défunt. On dit: «sortir l'obole».

A l'aube, enfin, la ronde des souvenirs s'arrêta. Et le sommeil la délivra.

Avec le chant des coqs, les pilons résonnaient dans les mortiers, de concession en concession, comme un appel au labeur. Seynabou, à demi nue, pilait le mil.* Dans le jour qui naissait, son corps se confondait avec le tronc du manguier derrière elle. Au rythme d'une vieille mélopée, elle chantonnait, et sa voix douce venait se mêler au bruit de ses bracelets qui s'entrechoquaient. Le soleil apparaissant au-dessus des arbres faisait miroiter son corps noir, couvert de sueur, qui ruisselait vers son pagne. Ses seins, déjà formés, montaient et descendaient suivant le mouvement de ses épaules.

– Je peux venir tamiser, Seynabou? demanda sa mère qui sortait de la chambre conjugale.

– Attends un peu, tu peux commencer à faire le *quinquiliba* (tisane).

Tout autour de la jeune fille, les poules picoraient les graines tombées en grattant le sol de leurs pattes.

– Mets ta camisole . . . Tu n'as pas honte de te montrer toute nue? lui reprocha la femme.

Obéissante, elle se vêtit d'une camisole aux manches bouffantes, qui s'arrêtaient à mi-coude. Toute la famille était sur pied, chacun demandant à l'autre si la nuit avait été bonne.

– Seynabou Faye . . . As-tu passé une bonne nuit? interpella une voix d'homme.

Cherchant d'où venait l'appel, elle se haussa sur la pointe des pieds et elle vit, par-dessus la palissade, un casque blanc qui s'agitait.

– Diagne! Je ne t'avais pas vu. Comment as-tu passé la nuit?

– En paix . . . Et ta famille?

– En paix, répondit-elle. Hier, tu n'es pas venu . . . Pourtant je t'attendais.

– Oh! J'avais beaucoup de boulot au bureau. Tu sais,

quand je suis absent, rien ne marche, on nous envoie des jeunes qui n'entendent rien à ce travail . . . Il paraît, entre autres, que ton frère arrive aujourd'hui avec une toubabesse?

- Qui te l'a dit? fit Seynabou, et, feignant d'être surprise, elle mit le pouce sous son menton.

- J'ai entendu Samba Raba le dire à la boutique du «père» Gomis.

- C'est vrai.

- Alors, que dit papa Moussa? Il y a du feu dans la poudre? . . .*

- Rien. Sa mère n'a pas mangé hier soir. Ce matin, je ne l'ai pas encore vue; d'habitude, elle est la première levée . . .

- Peut-être qu'elle est morte.

- Tu parles mal de la bouche par moments, Diagne. Tu viens ce soir?

- Que prépares-tu?

- Ce que tu veux.

Il se sentit flatté dans son orgueil de mâle. Il était vrai qu'elle ne lui refusait rien . . . Dommage qu'elle fût si jeune, se disait-il, car à cet âge-là une fille est vite enceinte.

- Seynabou! Je n'entends plus ton pilon, cria la mère de l'intérieur de la cuisine.

- Je suis là! dit la jeune fille à haute voix.

Puis elle ajouta discrètement pour le garçon:

- A ce soir.

- Oui. Je viendrai avec mon état-major.

Des enfants sortaient des cases en bâillant. Ils se lavaient la figure à grande eau; on leur donnait ensuite le reste du repas de la veille qui, dit-on, «réveille les esprits». Puis ils partaient pour le *Dara* (école coranique).

Et déjà le soleil dardait ses rayons sur les toits de zinc qui bruissaient, cuisant les murs de banco.

Au repas du jour, ils furent au complet. Au fond de tous les cœurs, il y avait l'arrivée imminente d'Oumar. Jusqu'ici, le vieux n'avait rien dit. Fuyant les regards inquisiteurs, il méditait sur toutes les paroles entendues. La mère Rokhaya, elle, n'avait pas paru de la matinée.

– Amadou, tu iras les accueillir au port . . . Seynabou . . . la chambre est-elle prête?

– Oui, père, répondit-elle, n'osant pas lever les yeux et tenant le bol entre le pouce et l'index.

Le père reprit:

– Dorénavant, je ne veux plus que l'on me parle d'eux. Il n'est pas question que je les mette à la porte. Les gens diraient: «Voici le fils de Moussa à la traîne!» Je lui parlerai . . . D'ailleurs, tu le lui diras, Amadou.

– Moussa, dit son frère en remettant dans le récipient la boulette de riz destinée à sa bouche . . . Il faut beaucoup réfléchir avant de faire quoi que ce soit. Ton fils a grandi, c'est un homme. Il connaît les conséquences de son acte et si tu agissais autrement qu'il ne convient, si tu lui disais quelque chose de fâcheux, tu le regretterais. Entends-le d'abord.

– Toi, tu as toujours pris sa défense! Lorsque j'ai voulu l'envoyer en Mauritanie apprendre le Coran, tu t'y es opposé et, à cause de toi, je l'ai envoyé à l'école. A présent, voilà où nous en sommes. Comment vivra une blanche avec nous? Tu te l'es demandé? Saura-t-elle piler le mil? Mangera-t-elle avec nous dans le même bol? Nous trouvera-t-elle propres ou sales, comme ceux de sa race qui ne sont ici que pour nous exploiter?

– N'oublie pas ce qu'il était avant de partir . . . La guerre est la cause de tout.

– Je l'ai faite, la guerre, et toi aussi.

– Il sait le Coran comme toi, et pour ce qui est de sa femme, je sais qu'il l'a mise au courant de notre mode de vie, bien qu'il ait changé, il y a une . . .

– Le monde va en voyage, interrompit Aminata.

– Toi, femme, on ne te demande rien.

– J'ai dit seulement que le monde part en voyage.

– Quand les hommes parlent, une femme qui a de l'éducation doit se taire, s'écria Amadou un peu énervé, et il poursuivit: – Bon, j'irai les chercher avec le petit Gomis. Il ne faut pas que nous nous aveuglions à cause de la femme, d'autant plus que nous ne savons rien d'elle . . .

Amadou Faye avait énormément d'estime pour son neveu. Le repas se poursuivit dans un silence total.

Le bateau contourna le dernier estuaire de son voyage. Le quartier de Boudoli s'apercevait au loin, avec ses toits argentés qui brillaient sous les reflets pâlissants du jour. Les wharfs, dans un alignement inégal, semblaient sortir de l'eau. Le vapeur glissait sur l'étendue plate, des pêcheurs aux bras vigoureux ramaient à sa rencontre. Son arrivée avait amené une foule de curieux; la nouvelle s'était répandue avec la vitesse d'un feu de brousse attisé par le vent. Toute la ville était là, «du patron au domestique», comme on dit. Il régnait sur le quai une animation fiévreuse, des éclats de rire, des «parlés» dans différents dialectes, des salutations interminables, des demandes de renseignements à voix criardes. On voyait les femmes diolas, portant sur la tête des dames-jeannes, avec un sens de l'équilibre extraordinaire, et des belles qui, avec nonchalance, se frottaient les dents, des vêtements bigarrés, des torses nus, des complets d'une extrême blancheur, des boubous que le vent gonflait comme des voiles.

Les formalités remplies, la descente fut autorisée.

– Peut-être que personne n'est venu nous chercher? N'oublie pas ton casque, recommandait Oumar à sa femme.

– Oh, j'ai peur, fit-elle soudain.

– Moi aussi, bien que je rentre chez moi. Allons, il faut nous dominer, sinon ce sera un échec . . .

Il ajouta, un peu ironiquement:

– D'ailleurs, il nous serait assez difficile de nous en retourner . . .

Il avait peur, lui aussi, et quelque chose de froid coulait dans ses veines et rendait ses paumes moites.

– Tu es prête?

– Attends que je regarde par le hublot . . . Comme il y a du monde!

– Mon père n'est pas là. Ça, je le sais d'avance.

Prenant son courage à deux mains, il sortit et se trouva nez à nez avec son antagoniste du matin. Ils s'observèrent tous les deux et le blanc ne dissimulait pas sa rancœur. Devant ce regard si haineux, Faye fut prêt à lui sauter dessus à nouveau lorsque Isabelle, surgissant de la cabine, l'entraîna.

Ils gagnèrent la passerelle. Un moment, il toisa la populace d'un air indifférent. Quant à Isabelle, elle se sentait fouillée jusqu'au plus profond d'elle-même par tous ces yeux luisants. Elle faillit perdre l'équilibre, mais, avec la souplesse d'un jeune animal, il la soutint par le bras. Elle aurait préféré traverser l'enfer plutôt que soutenir tous ces regards posés sur elle, pleins d'une curiosité avide. Oumar la soutenant toujours, ils traversèrent la coupée. Lorsqu'ils touchèrent la terre ferme, la haie des badauds s'entrouvrit et se referma derrière eux. Tout au bout, il y avait Amadou qui les attendait, le visage un peu fermé, en compagnie d'un jeune homme qui paraissait avoir l'âge de Faye.

– Isabelle, voilà mon oncle.

Elle sortit un mouchoir et s'épongea la figure. Les deux hommes se serrèrent les mains. Oumar présenta sa femme, puis il se retourna vers l'autre et, se reconnaissant, ils se jetèrent dans les bras l'un de l'autre.

– Gomis! Je te croyais à Dakar! je te présente ma femme . . .

– Madame, je suis content d'être parmi vos premières connaissances en terre africaine, dit-il en s'inclinant.

– Merci, répondit-elle.

Amadou dit en ouolof qu'il était temps de partir.

– C'est à toi, ce pousse-taque? Crois-tu qu'avec nos ballots? . . .

– Monte, nous verrons bien.

Sur le goudron, le véhicule roulait bien. Il s'arrêta sur la grande place pour laisser descendre le vieux, qui serra à nouveau la main d'Isabelle. Ils se retrouvèrent tous les trois.

– Dis-moi, comment vont les affaires, vieux?

– Pas fameuses. T'as pas l'intention d'être transporteur?

– Non . . . T'en fais pas, j'ai autre chose dans la tête.

– J'ai entendu dire au débarcadère que tu as rossé le gérant de la Cosono . . .

Entre les deux hommes, Isabelle ne bougeait pas. Gomis continuait:

– Tu l'as manqué, il fallait le jeter par-dessus bord; c'est le plus grand salaud du pays – excusez mon impolitesse, Madame. Dans sa boutique, il frappe tout le monde; dans la rue, il exige qu'on le salue.

– D'où vient-il?

– De la Haute-Volta.

– Et depuis combien de temps est-il ici?

– Deux ans, à peu près.

– Qu'en disent les anciens?

– Ils s'en foutent, puisqu'on ne les touche pas.

– Et vous, les jeunes?

– Nous? Nous ne pouvons rien faire non plus . . .

S'interrompant, Faye dit soudain, d'une voix altérée:

– Nous voici arrivés, femme.

A peine avaient-ils touché le sol que la marmaille du quartier les entoura; se frayant un chemin à grand-peine, ils pénétrèrent dans Fayène en se tenant par le doigt. La vieille Rokhaya les attendait, debout au milieu de la maison.

– Je donnerai ma main à couper qu'elle vient de faire de la sorcellerie . . . Je l'ai laissée, il y a huit ans, à cette même place, et elle y est toujours; mais ne crains rien.

– Facile à dire . . .

– Arrête, Isabelle.

La mère et le fils se regardaient. Les larmes ruisselaient sur le visage de la vieille: elle était déchirée de voir son petit tenir la main d'une toubabe . . . Qui était cette femme? Pourquoi avait-elle suivi son fils jusqu'ici? Avait-elle ravi l'amour que lui devait son Hare? Ne savait-elle pas qu'elle, la vieille Rokhaya, n'avait rien à voir avec les blancs? Alors que faisait une blanche avec son petit? Est-ce que le pays des toubabs manquait d'hommes pour que ses filles se mettent à épouser des noirs? Quelle maladie avait eu Hare pour se marier avec celle-là? Les noires ne sont-elles donc plus de son goût, ni assez jolies?

Tant de questions se précipitaient dans sa tête, se heurtaient, la déchiraient! Debout, là, elle sentait cette douleur que seules ressentent les femmes qui portent. Elle examina longuement la blanche. Pour elle, Isabelle n'était pas une femme.

Isabelle ne savait pas au juste si elle était vraiment le sujet du drame qui se jouait entre la mère et le fils. Enfin, Rokhaya se jeta dans les bras de Faye en sanglotant:

– C'est mon petit, mon petit à moi, mon Hare-Yala?

– Ne pleure pas, mère . . . Je ne suis pas mort.

La paume rugueuse, la main de femme esclave de l'homme caressait le visage qu'elle voyait encore enfantin.

– Tu es toujours jeune, sans barbe . . . Oh, mon fils, tu dois être fatigué!

– Je ne suis pas seul, mère.

Sa joie de le revoir lui avait fait oublier son amère déception. Elle se mordit la lèvre. Isabelle était venue rejoindre son mari.

– Bonsour,* Madame, dit Rokhaya en serrant la main de sa bru. (Beaucoup d'Ouolofs parlent quelques mots de français. Quant à la prononciation, il faut en chercher le défaut dans les cordes vocales.)

– Bonjour, Maman, répondit Isabelle.

Rokhaya garda la main blanche dans la sienne, puis attira Isabelle dans une pièce voisine. Malgré sa désapprobation, elle éprouvait un véritable sentiment de femme et de mère. Ce qui l'animait n'était rien d'autre que son droit maternel, l'amour d'une mère qui voit, dans le fruit de ses entrailles, une partie d'elle-même qu'elle doit protéger et qu'elle est toujours prête à défendre. Elle chercha ses mots puis dit:

– Beaucoup solie . . . Madame, papa, mama, Fransse.*

– Oui, répondit la jeune femme dans un souffle.

– Fransse . . . Loin . . . Toi, fatiguée? Dormir?

Elle désigna à Isabelle un lit de fer.

Elle parlait en secouant la tête. Sous son regard perçant, Isabelle baissait les yeux. Bien que les paroles de sa belle-mère n'eussent rien d'inquiétant, elle était effrayée cependant. Et le fait de ne comprendre qu'à demi ce que Rokhaya lui disait la décourageait encore plus. Elle dévisageait à la dérobée la vieille femme dont le mouchoir noué derrière la tête laissait voir sur les tempes quelques mèches de cheveux gris.

– *Yaye* . . . (mère), appela Faye.

– *Caye* . . . (viens), répondit la vieille.

– Je ne savais pas que je dérangeais un tête-à-tête, dit Oumar venu les joindre, et il ajouta:

– Ma mère dit que tu es belle et elle espère que tu seras une bonne épouse. Maintenant, il faut que tu viennes avec moi, que je te présente à toute la famille des Faye. Les autres ont le même droit qu'elle sur nous deux, sans parler des deux femmes de mon oncle.

– J'espère que tu n'imiteras pas ton père et ton oncle?

– C'est pas dit.

– Chameau!

– Si j'expliquais cela à ma mère! s'exclama-t-il en riant. Ici les femmes ne doivent pas manquer de respect à leur seigneur et maître.

Et il lui secoua le menton.

– Cela ne fait rien, trois femmes pour un homme, c'est trop. Je n'arriverai jamais à le comprendre . . .

– Tu parles trop et beaucoup trop pour bien penser, dit-il philosophiquement.

Isabelle fit ainsi la connaissance de sa seconde famille. Déjà le soleil couchant s'égarait parmi les feuillages des grands arbres.

La chambre qui leur avait été destinée ne comportait rien de particulier: un vieux lit métallique, une chaise en tara et des murs peints en blanc.

Quelque chose cependant préoccupait Oumar.

– Je crois que mon père ne veut pas nous recevoir et j'en suis peiné, expliqua-t-il.

– Nous le sommes tous les deux, mais du moment que je suis avec toi, c'est le principal . . .

– Repose-toi, dit-il. Je dois aller voir les voisins.

Et il alla, comme l'exige la politesse africaine au retour d'un long voyage, faire les visites prévues.

Rien n'avait changé. Les mêmes sentiers en éventail, les paillotes toujours prêtes à s'écrouler, les tas d'immondices; une vie grouillante rassemblée là. Dans les espaces découverts, des enfants jouaient. Oumar ne les reconnaissait pas; les uns avaient grandi, d'autres étaient nés. Il rencontrait des filles qui, à son départ, commençaient seulement à entrer dans la ronde des femmes, aujourd'hui mères et méconnaissables. Les gens, curieux de voir sa «moitié», l'invitaient à séjourner parmi eux; il répondait par la promesse de leur présenter son épouse.

La visite la plus gênante fut celle à la famille de sa promise. Connaissant les intentions de sa mère, il voulut rebrousser chemin; mais les bambins l'avaient aperçu, ils vinrent au-devant de lui.

Ce fut la mère qui le reçut et l'introduisit:

– Aïda, appela-t-elle, viens saluer ton mari.

Une fille à l'air timide s'approcha et s'agenouilla aux pieds d'Oumar. La peau très foncée, des yeux immenses. Il la releva très vite:

– Je suis venu simplement pour vous saluer.

– C'est très bien de ta part. Comment va ta femme? demanda la mère.

– Paix seulement, répliqua-t-il.

Une conversation interminable allait s'engager, qui le gênerait d'autant plus qu'il était venu pour rompre la promesse faite naguère à la fille. Il se décida:

– Je vous demande pardon à toutes les deux, mais je ne peux pas me marier avec Aïda.

– Tu ne vas pas par deux chemins, dit la mère vivement. C'est au pays des toubabs que l'on t'a appris cela? Sache que toutes les branches ne sont pas pour les oiseaux. Mais, peut-être veux-tu retourner d'où tu viens?

La mère Safiétou avait la réputation de toujours parler à double sens. Tout cela avait énervé Faye.

– Je n'ai rien dit de semblable! C'est par respect que je suis venu rendre la promesse de ma mère . . . Quant à la deuxième parole, on ne s'attache pas à la couleur d'un pagne mais à sa solidité. Je m'en vais. Bonjour à Papa Souleymane.

La jeune fille l'accompagna jusqu'à la porte.

– Hare, dit-elle, ne te fâche pas. Ma mère n'a pas voulu te vexer. Vous vous êtes seulement mal compris.

Oumar à son retour raconta tout l'entretien à Rokhaya. Elle promit d'arranger les choses.

Ils se couchèrent tôt, ce soir-là.

2

La grande place était située entre le petit marché et le quartier de Santhiaba. C'était un vaste quadrilatère d'où partaient des ruelles en éventail. Des manguiers, des acajous lui donnaient leur ombre, ainsi qu'un gros fromager dont les racines ressemblaient à des corps d'enfants couchés. C'est sur cette place que le vieux Gomis s'était installé et avait fondé une famille.

On trouvait chez lui tout ce dont on avait besoin: bougies, pétrole, tabac brut, tabac à priser, étoffes, bijoux de quatre sous . . .

La boutique était également le rendez-vous de la jeunesse. Quand le temps était favorable, on sortait les bancs et, à la fin de la journée, on se réunissait devant la porte sous les arbres.

Bonjour, Papa Gomis . . . Jean n'est pas encore venu? demanda un arrivant.

Non, docteur . . . mais sans doute ne va-t-il pas tarder, il est passé justement avec Faye.

Saurais-tu me dire s'il va, ce soir, à Boucot?

Pas que je sache, mon fils, répondit le boutiquier.

Le docteur s'assit et déplia un journal. Il avait dans les trente-deux à trente-cinq ans; deux petites cicatrices – signes distinctifs de sa tribu – marquaient ses joues. Son langage lourd, son accent traînant montraient qu'il n'appartenait pas à la région. Il était né au Dahomey que l'on appelle le «Quartier Latin» de l'A.O.F.*

- Salut, Agbo, fit avec un geste désinvolte un nouveau venu, qui se faufila à travers le magasin.

- Bonsoir, Diagne, répondit Gomis sans lever les yeux de son journal.

Diagne, ensuite, vint prendre place à ses côtés. Et, en quelques minutes, un grand nombre de jeunes furent réunis. Il y avait là M'Boup, habillé à l'indigène, d'un haftane teint à l'indigo, son casque sous l'aisselle, qui travaillait à la Cosono, Dieng, transitaire dans la même maison et pareillement habillé, l'instituteur Seck, que le directeur de l'école obligeait à se vêtir à l'européenne, et d'autres encore.

- Dieng, viens-tu ce soir avec moi? interrogea Diagne.

- Non, j'ai du travail à la maison des Faye.

- Dis plutôt que le vieux te donne la frousse . . .

- Cent ans, je ne comprendrais pas Diagne! intervint Agbo, le docteur. Tu fréquentes toutes les filles à la fois, un soir chez l'une et demain chez l'autre. Comment fais-tu pour t'en sortir avec ta paye?

- Dis-moi de te payer, car - c'est vrai - je te dois de l'argent, mais fais-moi grâce de ta morale . . .

- Mais non, mais non . . . Comprends ce que je te dis . . .

- Tu n'es pas capable de faire comme moi, avoue-le?

- Ah! Là, nous sommes d'accord!

- Assez, vous deux! Il n'est pas dit qu'un seul jour vous ne vous chamaillerez pas, dit l'instituteur qui se faisait obéir ici aussi bien que dans une classe.

Soudain, le véhicule de Gomis fils freina dans un nuage de poussière et stoppa net devant la porte de la boutique.

- Comment va Faye?

- Très bien, Monsieur Seck, répondit Jean Gomis se moquant de lui.

- Elle est belle, sa femme? demanda M'Boup. Dites, parle-t-elle diola ou portugais?

Ils se mirent tous à rire de la question.

– Elle est bien roulée, grande, avec des cheveux noirs et soyeux, une voix agréable . . . Et, malheureusement, elle ne sait que le français, peut-être le latin. Tu parles le latin, toi?

– Oh! glapit-il, ce langage que jactent les crocos?

Il avait accompagné ses paroles des gestes appropriés.

– Quelle idée peut-il avoir eue en la faisant venir ici? interrogea Diagne en levant les épaules. A Dakar ou à Saint-Louis, à la rigueur . . . Son père n'est pas content; ce matin j'ai vu Seyna (diminutif de Seynabou) . . . Moi, je ne ferais pas une bêtise pareille.

– Se marier, Diagne, c'est pas une bêtise.

– Moi, avec une blanche! Pas pour tout l'or du monde. Ah, non alors! On ne pourrait pas s'entendre.

– Je suis d'accord avec toi. Un noir ne peut pas vivre ici avec une blanche . . . Surtout avec ce que font ses compatriotes, dans la brousse, pendant les récoltes. Maintenant, un des nôtres vient s'imposer sous nos yeux avec une toubabesse. Mais la question ne se discute même pas. C'est un vendu, c'est tout . . . acheva le transitaire.

– Il paraît qu'il a chatouillé ton patron sur le bateau, dit quelqu'un dans le groupe.

– La seule chose que je regrette, c'est qu'il ne l'ait pas foutu à la flotte.*

– Je connais Oumar, interrompit Diagne. Il n'a pas son certificat d'études; tout ce qu'il connaît, c'est la pêche. Et parce qu'il a une *brancou* (blanche en créole), vous allez tout de suite le prendre pour un héros. En Europe, de pareilles femmes se trouvent à tous les coins de rue. Ce sont des oies. Demandez à ceux qui étaient à la guerre . . .

– Tu parles mal, Diagne. Tu le connais mieux que nous. Mais, dès qu'on parle de quelqu'un, te voilà grossier et envieux . . . Dis-nous un peu pourquoi on l'avait renvoyé de l'école, Oumar? poursuivit le fils du boutiquier. Moi, je vais te le dire. On avait volé un livre, personne ne savait qui c'était. Après plusieurs jours de vaines recherches, on punit les plus turbulents dans l'espoir que le coupable s'y trouverait. Comme Oumar se savait innocent, il a refusé la punition. Alors le directeur s'est mis à le gifler. Inutile de vous dire qu'il a été mis en sang par Faye et que Faye a été renvoyé de l'école. Mais tout n'était pas fini. C'est un enfant qui avait volé le livre. Il s'appelait Dominique et, quand Oumar l'apprit, le pauvre Dominique reçut une belle correction de Portugais! Malgré l'intervention des vieux, Faye refusa de retourner en classe, disant qu'il était pêcheur et rien que pêcheur comme son père. Il a toujours pris les faibles sous sa protection. On l'avait surnommé le «Grand».

- Diagne, tu fréquentes sa sœur, fais attention!

- Moi? fit ce dernier, tu es dingue! Il peut crever et sa femme aussi! Alors, d'après vous, nous devrions tous abandonner nos coutumes?

- Tu mélanges tout. Assimiler le progrès ne veut pas dire que l'on renie ses ascendants. Mais il y a des choses que nous ne devrions plus pratiquer. Moi, personnellement, je ne tiens pas à me marier avec une illettrée, assura le docteur.

- La place d'une fille est à la maison, proclama Diagne en se postant devant l'auditoire pour mieux convaincre ceux qui l'écoutaient. Dès qu'elles sont instruites, reprit-il, nous sommes sous-estimés. Ma fille n'ira pas à l'école . . . Et pour lui apprendre quoi? Que ses ancêtres étaient des Gaulois? On sait qu'ils étaient blonds aux yeux bleus, et elle qui ressemble à un sac de charbon . . . Non, ils disent des idioties.

Tous se tordaient de rire en écoutant ce descendant des Maures. Car Diagne était de père mauritanien, de mère saint-louisienne. Il avait la parole facile. Pour lui, une seule chose comptait, les filles qu'il courtisait et chez lesquelles il dépensait sa paye du mois.

- Pourtant, nous envoyons nos filles à l'école, intervenait le commerçant, arrivé sur le seuil de la porte.

- C'est votre religion.

- Confonds pas instruction et religion. D'ailleurs, la seule différence est que vous pouvez avoir plusieurs épouses.

- Le malheur, c'est qu'à présent elles votent! Mais en

attendant une loi qui ne viendra jamais pour l'abolir, je voudrais en avoir dix.

– Je te comprends. Sans elles, la vie n'est rien. Mais t'es-tu demandé une seule fois si elles désiraient avoir des rivales. Que dirais-tu si un matin, en se levant, ta femme te disait: «Ce soir, c'est le tour de mon deuxième mari»?

Le docteur se tut et les rires s'élevèrent à nouveau.

– Oui, ce serait drôle, foi de Diagne. Mais cela n'arrivera pas tant que les hommes regarderont vers l'est.* La polygamie, c'est la meilleure des vies.

– Tu ne comptes pas les bagarres entre frères consanguins, les questions d'héritage, les jalousies entre femmes, le manque d'amour de l'homme et tout le reste . . .

Puis, changeant de sujet, le docteur questionna à nouveau:

– Jean, vas-tu à Boucot?

– Je n'ai plus d'essence. Je viens de faire deux trajets pour Faye. Qu'est-ce qu'il avait comme bagages!

– C'est un toubab fini, alors?

– Ne recommence pas, Diagne!

– Bon, je me tais. Tenez, je vous invite tous ce soir.

– Où?

– A Fayène.

– Moi, je viens, dit Seck. Mais après, nous irons chez Aïda.

– Aïe, aïe, aïe, commença à se lamenter Diagne en agitant les bras comme s'il marchait sur des braises, sa mère ne veut plus me voir.

– Pas étonnant! Tu as mal agi avec elle . . .

– Comment? Chaque mois j'envoyais le mandat; et ça pendant huit mois. Pas une fois, je vous dis, pas une fois je ne suis arrivé à avoir la fille. Un jour, je lui donne mon *sabador* (caftan) à laver, et qu'est-ce que vient me dire cette vieille maquerelle: «Donne aussi le prix du savon! – Mes couilles!» que je lui ai répondu.

Abdoulaye Diagne était le boute-en-train de l'équipe. Il se moquait de tout. Il aimait «jouir de la vie», comme il disait; et quand il conviait ses compagnons dans différentes concessions, c'était pour garder sa réputation de coureur.

– Tu n'es pas poli, en plus, fit remarquer Seck.

– Je m'en fous. C'est l'heure de bouffer. Je viendrai à huit heures prendre M'Boup et ceux qui voudront venir.

– D'ac, répondit M'Boup.

Dès qu'il fut parti, les paroles leur manquèrent subitement. Le calme s'était établi à nouveau. Alors ils se levèrent et se séparèrent un à un.

Tous, ils désiraient ardemment vivre sans se préoccuper du lendemain. Mais le pays, se réveillant de sa léthargie, les entraînait avec lui comme un fleuve charrie son limon. Leur avenir et celui du peuple exigeaient d'eux chaque jour davantage. Ils aspiraient à une Afrique où ils ne vivraient plus un drame provoqué par le heurt de deux races en présence.

Le soir tombait; une à une la pénombre grignota les formes, puis, d'un seul coup, la nuit dévora tout.

Le lendemain de bonne heure, Faye avait déjà fait le tour de la maison. Lorsqu'il revint dans la chambre, Isabelle était assise sur le lit.

– Déjà réveillée?

– Comme j'ai bien dormi! fit-elle en s'étirant. Je ne t'ai pas entendu rentrer hier au soir.

Seynabou leur servit du café avec des petits pains achetés à l'unique boulangerie de la ville. Ils sortirent ensuite et se dirigèrent vers la brousse. En amont, ce n'était que palmiers, cocotiers, roniers. Sur la route d'Adéane, le soleil incendiait les plus hautes feuilles des arbres.

Ils trempèrent leurs pieds dans l'eau tiède d'un ru.

– Je prendrais bien un bain, tu sais, dit Isabelle.

– Avant, dit-il, à côté du cimetière, il y avait un endroit merveilleux pour se baigner.

– Ils y allèrent gaiement et là, en effet, le ruisseau se montrait beaucoup plus large et plus propre. Un tronc à demi incliné leur servit de plongeoir. Les nénuphars peuplaient la surface de l'eau; des arbustes donnaient un air d'intimité à cette piscine improvisée; les poissons-grenouilles, surpris dans leur somnolence, fuyaient. Eux, sans se soucier du temps qui passait, dans leur plus complète nudité, plongeaient, replongeaient en riant dans l'eau claire.

– Je commence à avoir faim, dit-elle sur le coup de midi.

– Flûte! On est bien ici.

– Pas de bruit.

– Ni d'auto.

– Ni de métro.

– Ni de journaux.

– Ni de cinéma.

– Ta, ta, ta, tu es prise. Il y en a un! Dis, il te plaît l'endroit?

– Tu ne penses tout de même pas construire une maison ici?

– Juste!

– Oh! fit-elle en se jetant sur lui.

Et ils basculèrent ensemble dans l'eau.

– Maintenant, rentrons.

– Fais voir le terrain?

– Tu as foulé le sol de ta future demeure pendant un quart d'heure, gourde!

– Nous reviendrons cet après-midi?

– Si tu veux . . . La maison devra être construite avant les pluies.

– Dans trois mois?

Quand ils revinrent à Fayène, le logis était peuplé de quémandeurs venus, selon la vieille coutume, réclamer leur «part du voyage».* La vieille Rokhaya les avait fait asseoir. Avec un flegme digne d'un lord anglais, Oumar les salua en passant el alla s'enfermer dans sa chambre. Sa mère vint lui expliquer le désir des visiteurs.

– Mais je n'ai rien à leur offrir! s'écria Oumar. Comment peux-tu savoir si, oui ou non, j'ai de l'argent?

– Si tu ne leur donnes rien, je le ferai moi-même, dit-elle avec colère.

Elle s'apprêtait à sortir lorsque Isabelle, qui avait entendu, lui remit courageusement quelques billets.

– Comme imbécile, tu te poses là, dit Faye boudeur. Si tu donnes, tu es la meilleure; sinon, ils te calomnient . . .

– Je ne le fais pas de bon cœur, tu sais, mais pour faire plaisir à ta mère . . . Peut-être qu'elle dirait . . .

– Qu'elle dise ce qu'elle veut, hurla-t-il furieusement.

Au-dehors, ce fut un «hourra!» général. Tous les solliciteurs voulaient serrer la main de Faye. Rokhaya revint et dit à Isabelle:

– Merci . . . beaucoup . . . Madame.

– Mère, je ne veux pas donner, et elle non plus ne donnera plus rien, puisque nous n'avons rien.

Oumar avait dit cela à sa mère dans leur dialecte.

– Moi, je donnerai, dit-elle, car je ne suis pas toubab.

– Il n'est pas question d'être toubab ou non. Assieds-toi, je vais te parler avec franchise.

Ils prirent place sur le lit. Isabelle s'assit sur le *tara* (1).

– Pour eux, commença Faye, je suis un bon fils, puisque je donne. Imagine un peu que j'aie besoin d'argent et que je ne donne plus, que diront-ils? Ils diront: «Voilà Oumar Faye qui se prend pour un toubab, c'est un voyou, un mauvais type.» Je serai un mauvais fils pour eux, tandis que toi, tu seras et resteras ma mère. Comprends donc qu'il y a des choses qui ne doivent plus être, toutes celles qui entretiennent la fainéantise de ces gens . . .

– Tu parles bien, en un sens, mais ce sont nos coutumes et je ne peux pas faire autrement. Même s'il faut que je vende jusqu'à mon pagne pour les satisfaire, je le ferai.

– Une fois pour toutes, je tiens à ce que tu saches . . . dit Faye.

Mais Rokhaya lui coupa la parole en posant la main sur ses lèvres.

– Ne dis pas de malheur.

– De quoi parlez-vous? demanda Isabelle.

– Lui . . . beaucoup . . . méssan,* dit Rokhaya en s'en allant.

(1) Chaise faite de cet arbuste.

Oumar sortit une cigarette, l'alluma et, après avoir tiré quelques bouffées, la passa à sa femme.

Ils se mirent alors à sortir d'une malle des pacotilles, des étoffes, des parures, des chaussures pour grands et petits, qu'ils allèrent distribuer aux membres de la famille et toute la maisonnée de Fayène défila devant Isabelle pour lui témoigner sa gratitude. La plus touchée fut la belle-mère à qui on avait remis une pipe tyrolienne.

En cet honneur, Seynabou les servit dans leur chambre où une table avait été dressée pour qu'ils prissent leur repas, seuls.

Lorsqu'ils furent attablés, Amadou entra; après leur avoir souhaité «bon appétit», il dit, s'adressant à Isabelle.

– Merci pour cadeaux . . . Mon famille aussi, vous sentille . . .* beaucoup.

A ce langage, qui venait droit du cœur, elle ne sut que répondre, et lui, faute de mots français, n'en put dire davantage. Il s'en alla.

Ils passèrent de nouveau l'après-midi au marigot à s'amuser comme des enfants. On ne les vit revenir que tard dans la soirée.

– Où étais-tu donc? demanda anxieusement la mère. Ton père désire te voir. Va le retrouver, il est au *prioir* (lieu où l'on prie dans une maison).

Le vieux était assis sur une peau de bête, sa tête au cou maigre sortant de la masse blanche de son grand boubou. Il ne se retourna pas, même quand son fils s'accroupit près de lui. Il tenait entre ses doigts un chapelet, ses lèvres s'ouvraient et se refermaient, les perles tombaient sur le sol une à une, tac, tac, tac. La litanie finie, il prit le chapelet entier dans ses mains, souffla dessus, le passa sur sa figure et dit en arabe: «Dieu est grand, Dieu est grand, Mohammed est Son prophète, qu'Il nous accorde la clémence, la pitié et Son pardon dans ce monde et dans l'autre, qu'Il guide nos esprits comme un enfant le fait d'un aveugle . . .» Puis, il fit un quart de cercle, face à son fils.

Oumar prit la main qui lui était tendue.

- Comment vas-tu fils?

- Paix seulement, père.

- Dieu merci, tu nous es revenu sain et sauf . . . Cet après-midi, je t'ai cherché partout.

- J'étais au marigot.

Tout en conversant avec son père, Faye gardait la tête baissée et jouait avec ses doigts comme lorsqu'il était petit. Moussa l'observait pour savoir s'il avait beaucoup changé. Oumar regardait à terre. Selon ses attitudes plus ou moins hardies, un Africain s'aperçoit de l'éducation d'un jeune . . . (la politesse en Afrique noire serait considérée comme timidité en Europe).

Le silence devint plus pesant.

- Tu sais que ta grand-mère est morte à Dakar?

- Oui. L'oncle me l'a écrit.

Si seulement il avait pu quitter son père et remettre cette entrevue à demain! C'était une dure épreuve pour tous les deux, car ils savaient bien qu'un seul sujet leur tenait à cœur. Moussa, désarmé par le mutisme de son fils, demanda:

- Qu'y a-t-il eu entre toi et ce blanc?

Faye mit son père au courant de la rixe sur le bateau.

- Toute la journée, je t'ai attendu pour cela, continua Moussa. L'administrateur m'a fait appeler à cause de toi: il voulait te voir. Sais-tu que s'agenouiller n'use pas les rotules? Méfie-toi de lui, c'est un mauvais homme.

- Oui, père, fit Oumar humblement.

Moussa, voyant la soumission de son fils, attaqua:

- A propos, as-tu pensé à ta mère, le jour de ton mariage?

- Énormément!

- Et que t'a dit ta conscience?

Oumar garda le silence. Moussa en profita pour mieux développer sa pensée:

- Tu es un homme maintenant, volant de tes propres ailes . . . Ma fille n'épousera jamais un blanc. Crois-tu avoir bien fait? Dis? Comment allez-vous vivre ici? Mangerez-vous du maïs? Ta femme ira-t-elle puiser de l'eau? Pilera-telle le mil ou bien le feras-tu à sa place? Tu ne pourras pas, dans les jours à venir, manger à table chez moi, il n'y a qu'une cuisine et un plat unique. Si elle ne nous dédaigne pas, peut-être pourra-t-elle plonger sa main blanche dans le *gueule* (1) . . .

Cette dernière phrase fut dite sur un ton d'ironie qui cingla aussitôt Oumar. Chaque mot lui semblait un coup de fouet. Il encaissa cependant sans broncher. Le père poursuivit, féroce:

– On ne connaît la valeur des fesses que lorsque vient le moment de s'asseoir. Penses-y, fils.

Oumar, les poings fermés, fixa enfin son père dans les yeux et riposta:

– Je te demande seulement de m'aider. Je bâtirai ma maison . . . Non, ne crains rien; pas ici, mais dans les palmiers. Tu as construit cette maison où j'ai vu le jour. Pour ma femme et pour moi, je veux qu'il en soit de même. Tout ce que tu viens de me dire, je me le suis dit cent fois et ma femme le sait également . . . Mieux vaut se connaître que d'apprendre ses défauts par les autres . . . Mais je pensais qu'en venant ici, je trouverais un père qui me comprendrait, et non un père qui me mettrait à la rue. Ailleurs, on m'aurait hébergé, mais qu'aurais-tu dit? «Voilà mon fils qui me renie.» Je serais marié avec une Diola, qu'il en serait de même. La femme que j'ai épousée est comme les autres, elle a un père et une mère . . . Je tiens à vivre ici, en dépit de tout . . .

Oumar, lui aussi, soulageait son cœur. Il avait commencé, il irait jusqu'au bout. Il lui était extrêmement désagréable d'affronter son père, mais il poursuivit, se mordant les lèvres:

– Je quitte la maison demain, dit-il. J'irai au milieu des arbres . . .

Juste à ce moment, arriva Amadou qui s'assit près d'eux.

– Qu'y a-t-il? s'informa l'oncle.

– Rien, répondit Oumar.

– Comment rien? Et ces larmes qui coulent sur tes joues?

(1) Assiette en bois.

- Puis-je me retirer, père?

- Reste, dit Moussa.

Il mit son frère au courant de la décision d'Oumar puis il revint vers ce dernier en disant:

- Tu ne veux donc pas vivre avec nous, sous ce toit?

- Père, ce n'est pas ça . . . J'ai une femme et il est préférable pour elle et pour nous tous que j'aie un «chez moi».

- Donc, tu n'as besoin de personne?

- Je n'ai pas dit ça non plus, père.

A nouveau, un silence pénible, qui laissait entendre les rires des enfants, s'installa.

- Je crois qu'Oumar a raison, Moussa, intervint l'oncle. Le fils n'a que la maison de son père. Nous devons remercier le ciel qu'il ne soit pas resté à «Tougueul». Tu dois être fier quand ton fils te dit: «Père, je veux une maison!»

- Quand une pierre tombe du ciel, rien ne peut l'arrêter . . . Que Dieu fasse selon ses désirs.

- Moussa demanda alors à son fils de lui présenter sa femme. Isabelle se trouvait avec sa belle-mère. Oumar alla la chercher. Elle s'approcha avec frayeur. Sa main disparut dans celle de son beau-père. Elle lui remit un paquet et, sur l'invitation de son époux, prit place en tendant ses jambes vers l'extérieur. De la vieille Rokhaya qui restait à l'écart, on ne voyait que le fourneau de sa pipe.

- Merci, fit le terrible vieux. Père et mère Fransse?

Elle fit oui de la tête.

- Content . . . Ici?. . .

- Oui, répondit-elle.

Les questions de son père déplaisaient à Oumar. Il prit sa femme par les épaules comme pour la guider dans ses réponses. Moussa continuait:

- Y a n'a frères?*

- Une sœur, dit Isabelle.

- J'espère et souhaite que tu seras une bonne épouse. Et maintenant, vous pouvez partir, dit l'iman à son fils.

Comme la nuit précédente, la vieille Rokhaya n'avait pas

fermé l'œil. Elle avait entendu son Hare-Yala dire à son père qu'il quitterait Fayène. Mais où irait-il? Elle n'en savait rien encore. Elle maudissait cette race blanche qui détournait son petit du droit chemin. Et, avant l'aube, elle était assise, entre les maigres racines du manguier, le dos appuyé au tronc de l'arbre, fumant une pipée.

Oumar, ce matin-là, crut être le premier levé de la maison. Il alla chercher le petit Gomis avec sa vieille guimbarde. Le transporteur le pressait de questions: il changeait donc de domicile? Pourquoi? Oumar se taisait, tirant posément sur sa cigarette. L'arrivée de la voiture, son ronronnement finirent par réveiller les dormeurs.

- Ouste, dit Faye en tirant sa femme par le pied qui dépassait de la couverture. Nous partons.

- Où ça? interrogea Isabelle en bâillant.

- Dans notre domaine, répliqua-t-il, en fourrant dans la malle tout ce qui traînait dans la pièce.

Les deux jeunes gens, aidés d'Isabelle, entassèrent les bagages, tant bien que mal. Le vieux Moussa Faye sortit de son logis et vit les allées et venues de son fils. Il resta un moment à le contempler. Par hasard, le regard d'Oumar croisa celui de son père. Ils se défièrent. Oumar soutenait le regard paternel, les mâchoires serrées: Je ne reviendrai plus, disaient ses yeux. L'iman comprit que son fils se mesurait à lui. Il détacha son regard d'Oumar, les braqua alors sur la femme blanche. Isabelle prit peur. Une sensation de froid parcourut son échine. Elle restait clouée sur place, la mallette dans ses bras. Alors Oumar la poussa vers l'auto. Elle souffla, comme libérée d'une étreinte malsaine, et son cœur reprit son battement normal. Moussa passa à côté de son fils sans rien dire, se dirigeant vers la mosquée.

Gomis et Faye achevèrent l'arrimage des caisses, sans prononcer un mot. Lorsque tout fut embarqué, Oumar alla retrouver sa mère. Elle était enveloppée dans un pagne usé, au tissage grossier, les pieds nus, son mouchoir de tête décoloré juché gauchement au sommet de ses cheveux, laissant échapper quelques mèches blanches. Elle n'avait pas cessé de l'observer. Tout ce qu'elle avait pensé, médité de lui dire, se fondit en elle quand son fils s'approcha. Sa gorge se serra. Elle le dévisageait comme si elle avait voulu le convaincre de rester, mais les mots s'engluaient sur sa langue. Rien, plus rien n'avait de goût, même le tabac qu'elle préférait par-dessus tout. Venues de la contrainte qu'elle imposait à sa douleur, les larmes se libérèrent, inondant son visage. Elle les renifla vivement. Oumar n'aimait pas cette attitude de faiblesse.

Soudain la vieille se leva, posa ses paumes sur les joues de son Hare-Yala. Mélancoliquement, son regard semblait errer dans le lointain. Les aspérités de ses mains parlaient davantage. Un feu intérieur la brûlait. Elle avait mal, épouvantablement mal. Oumar essaya de la consoler, mais sa décision était irrévocable et il lui dit seulement:

– Je vais là, c'est pas si loin, tu sais.

Les mains de la femme montaient, descendaient, caressaient son menton, les lobes de ses oreilles. Pour elle, son fils était perdu.

– Pourquoi me fais-tu ça, mon fils? Pourquoi?

Elle implorait une réponse.

– Oh, mère, il m'est difficile de le dire . . . Je crois que c'est mieux pour nous tous . . .

– Quelqu'un t'a-t-il dit des choses fâcheuses? Ou manqué de respect? Ou bien est-ce ta femme qui le veut? Alors quoi? . . . demanda-t-elle encore, suppliante.

– Non, non, fit-il.

– La maison est-elle trop petite? . . . Peut-être que je ne suis pas digne de toi, à côté de ta femme? Je ne sais pas m'habiller? Oh, je m'habillerai, je serai propre, pour te faire plaisir . . . Je mettrai même des chaussures, comme j'ai entendu dire qu'au pays des toubabs on met toujours des chaussures. Je vous servirai à manger. Je serai votre servante . . . Mais ne me quitte pas.

Elle le tenait maintenant par les épaules.

– Oh, faisait Oumar, au comble de la gêne et d'une souffrance qu'il ressentait lui-même cruellement, mère ce n'est pas du tout cela. Je reste en ville, je reste avec vous tous.

– Je veux que tu sois à moi, et non à tout le monde . . . Je t'ai porté, j'ai tout sacrifié pour toi . . . Quand je sentais que tu remuais dans mon ventre et que je marchais, je m'arrêtais. Si j'étais couchée, je me levais, et je ne dormais pas. J'étais contente de savoir que tu étais en paix. Et quand tu es venu au monde, j'ai veillé sur ton sommeil, mille fois trop heureuse pour dormir. Ton souffle était devenu ma vie. J'épiais ton réveil pour savoir si tu étais heureux en ouvrant les yeux. Il m'arrivait très souvent de me demander, lorsque tu sommeillais, si tu n'étais pas en proie au mauvais œil.* Sans cesse, je te serrais contre mon cœur. Je ne me rassasiais pas de te prodiguer mon amour. J'ai donné plus que donneraient mille femmes pour un enfant. Je souhaitais et je souhaite encore que tu possèdes des choses qu'aucun de tes camarades ne puisse avoir. Je te les offrirai. Mais, ô mon fils, je te demande de rester . . .

Elle était fatiguée d'être debout. Elle se laissa tomber sur une racine, croisa ses jambes, rebourra sa pipe éteinte et l'alluma, son regard toujours dirigé sur Oumar. Ses paupières étaient gonflées. Elle exhala une longue bouffée de fumée.

– Mère, il se fait tard, je dois partir maintenant, fit Oumar.

La vieille avait clos ses paupières. Brutalement, elle se redressa.

– Je hais ta femme! Je hais tous les tiens! Je n'aurai plus de repos tant qu'ils vivront ici! s'écria-t-elle. Tant que je regarderai vers l'est et que le soleil y apparaîtra, je n'aurai point de repos. Ils t'ont détaché de moi . . .

Elle avança jusqu'à toucher Isabelle, elle la toisa, puis se tournant vers son fils, elle lui dit encore:

– Elle t'a fait manger de son sang menstruel!

Et, s'adressant dans son dialecte à la jeune femme en salopette bleue qui n'osait faire un mouvement, elle ajouta:

– Chez vous, les filles ne respectent-elles donc pas leurs parents? . . . Et je dis la vérité, conclut-elle en s'en allant, remuant la tête.

Comme pour lui seul, Oumar grommela:
- Par moments, elle me fait peur.
- Qu'a-t-elle dit? demanda Isabelle à son mari.
- Oh rien, répondit-il sur un ton las et désabusé.
Et il la poussa gentiment vers la voiture qui démarra en soulevant une légère poussière rouge.

3

Sur un large espace, les palmiers avaient été abattus, les troncs découpés selon l'utilisation qu'Isabelle et Faye comptaient leur donner. Ils avaient embauché deux *Papeles*, ces constructeurs renommés dans toute la Casamance pour leurs connaissances en maçonnerie. De l'aube au soir, ils étaient attachés à la besogne.

Faye et sa femme passaient les nuits sous la tente. Pour Oumar c'était une course avec la saison des pluies, une véritable lutte contre la nature.

Les jours s'écoulaient ainsi, sans qu'il rendît visite à ses parents. Absorbé par son travail, il paraissait les avoir oubliés. Il passait seulement au marché en revenant de la pêche, pour liquider sa prise. Il n'échangeait avec son père que d'insignifiantes paroles, simples formules de politesse et de respect. Pour le père, le fils n'était plus qu'un étranger. Quant à Rokhaya, elle projetait chaque jour d'aller rendre visite à son fils. Derrière son dos, les racontars et les calomnies marchaient bon train. Le père Moussa, disait-on, avait chassé son fils, et la vieille ne voulait pas de sa bru; Oumar, sous l'influence de sa jeunesse, avait quitté le toit familial, et cette brancou, cette jeune blanche, trouvait ses beaux-parents malpropres . . . On feignait de se taire sur le passage de Rokhaya, mais, sitôt passée, elle sentait les rires derrière elle, pareils à des flèches de feu. Il ne lui restait plus rien que ses larmes.

Une fois pourtant, elle s'arma de courage, déchirant l'enveloppe de sa haine pour sa bru, et elle entreprit d'aller voir son fils. A mi-chemin elle rencontra son mari.

- Où vas-tu?

- Voir Hare, répondit Rokhaya avec gêne.

- Rentre à la concession, ordonna le vieillard qui, sans ajouter un mot, la laissa là.

Elle rebroussa chemin. Voilà deux mois qu'elle n'avait pas revu son fils. Elle sanglotait à petits coups: quelque chose n'était-il pas pourri dans son ventre pour que son fils, son Oumar, agisse ainsi?

Seul, l'oncle Amadou demeurait un soutien moral pour le jeune couple. Il ne manquait jamais de leur donner un conseil et ne prêtait aucune attention aux racontars.

Un midi, alors que les Papeles se reposaient d'une matinée bien chargée, Oumar, à l'autre extrémité du terrain, se bagarrait avec une bûche de palmier qu'il menait par tractions successives vers le ruisseau. Isabelle cuisait les poissons qu'elle avait pris elle-même dans la nasse.

- Bonsour, les s'enfants, dit Amadou s'adressant à la femme.

- Ah l'oncle, fit Isabelle levant la tête. Asseyez-vous là.

Elle avança une chaise en toile.

- Maisson . . .* fini . . . pitit . . . pitit.*

- Oooh, oui . . . souffla-t-elle. Il ne nous reste plus énormément à faire.

- Pitit? . . .

Il acheva sa phrase par des gestes.

Isabelle comprit qu'il voulait voir son neveu. Elle essuya ses doigts avant de les porter à sa bouche, siffla trois fois, puis se retournant vers Amadou, elle lui dit:

- Asseyez-vous donc, dans un moment il sera là.

Isabelle avait ému Amadou Faye. Quelque chose lui disait que celle-ci était une brave femme.

Il connaissait son neveu et son inclination pour lui était

sincère. En lui-même, Amadou se répétait que le petit savait bien ce qu'il devait faire, qu'il n'entreprenait rien sans y avoir réfléchi.

Oumar arriva, le torse et les pieds nus, habillé juste d'un short, un large chapeau sur la tête.

– Tiens, tonton, fit-il en serrant la main de son oncle. J'ai faim, femme!

Et il s'assit sur le sol.

Ils étaient devant la tente. Du linge séchait sur un ronier. Oumar se gratta les cheveux et dit:

– Je crois que dans une semaine ou deux nous aurons terminé.

Amadou jeta un coup d'œil circulaire sur les murs en *banco* (1), d'un jaune frais. A l'écart, trois piles de plaques de zinc attendaient là que fût prête la charpente du toit.*

– Est-ce que le type de Dimbéring est venu pour les coquillages? demanda Amadou.

– Non. Je l'avais vu avant-hier au marché. Je lui avais dit de m'attendre, mais je ne suis pas revenu. Il y a des branches d'arbres que je dois couper sur le ruisseau, et je veux un peu l'approfondir, de façon qu'en pirogue, on puisse naviguer jusqu'ici.

– A propos, pourquoi ne passes-tu plus à maison? Aujourd'hui, ton père me demandait ce qui t'empêchait de venir à la mosquée?

– Pour les visites à la maison, impossible, je travaille jour et nuit. Je ne vous fuis pas, car, tu le sais, ici le temps n'attend pas. Le soir, je suis fatigué. Il m'arrive de ne pas dormir pendant deux nuits d'affilée. Si mon père ne veut pas me parler, ce n'est pas parce que je ne vais pas à la prière, pas plus que je ne vais à la maison. La seule personne qui est attristée, c'est ma mère. Pour ce qui est de ma croyance, elle est personnelle.

Il souffla un moment et reprit:

– Avec toi, je peux parler. Écoute: Je suis un noir et je le

(1) Boue jaune. Pour la construction on la mélange avec de la paille hachée.

resterai. J'ai du respect pour nos coutumes et de la considération envers Dieu. Seulement, je n'ai rien d'un fanatique. Depuis mon retour, j'entends dire: «Dieu est bon, Dieu est bon» quand, évidemment, tout va bien. Et quand tout va mal: «C'est la volonté de Dieu.» Que moi j'aille grossir les rangs des crédules? Non.

– Tu as beaucoup voyagé et beaucoup entendu . . . Tes paroles dépassent ce que je peux comprendre.

Oumar vidait son cœur. Il savait que son père serait vite mis au courant de ses propos. Il reprit de plus belle, de sa voix grave:

– J'ai vu le pays des Arabes, source – paraît-il – de toutes les croyances . . . Dix fois plus pervertis que nous, oui! Pour qu'ils te coupent la gorge, pas besoin de valoir plus cher qu'un poulet. Quant aux Européens, c'est pire . . . Croire, dit encore Oumar, croire et être empoisonné font deux . . .*

Isabelle avait écouté son mari attentivement. Amadou, lui se perdait dans ce qu'il venait d'entendre. Il n'avait pas saisi entièrement le sens de ces paroles.

– Enfin, dit-il, si tu agis honnêtement, on le saura . . .

Isabelle Faye interrompit leur conversation en déposant devant eux des assiettes à même la terre. L'oncle secoua la tête.

– Vous ne mangez pas? questionna-t-elle.

– Manger . . . moi venir (Il voulait dire: j'ai déjà mangé avant de venir ici.) Merci beaucoup, Madame.

– Je voudrais que tu dises à ton oncle que l'image qu'ils se font des blancs est fausse . . .

Oumar traduisit les paroles d'Isabelle qui poursuivait:

– Bien sûr, chez nous, on invite les gens comme partout. Mais s'ils arrivent aux heures des repas, ils partagent avec nous ce que nous avons à manger . . . Alors dis-lui que j'insiste, qu'il mange avec nous. C'est du poisson et il n'y a pas de vin dans la sauce.*

Oumar rapporta toutes ces paroles à l'oncle qui baissa la tête comme un enfant.

– Dis à ta femme que j'ai déjà mangé et que si j'avais faim, je ne me gênerais pas. Pour moi, elle est comme ma fille, ce n'est pas parce qu'elle est blanche, mais, vraiment, je n'ai pas faim . . . Je vous soutiendrai tant que vous êtes sur le bon chemin. Si un jour je suis mécontent de vous, ce jour-là, vous le saurez . . . Mais Dieu m'est témoin, termina-t-il, j'ai dîné.

– Alors bois quelque chose, lui conseilla Oumar.

Isabelle apporta du jus de citron bien sucré.

Amadou vida le verre d'un trait et dit:

– Bien . . . bon, merci.

Un sourire éclaira rapidement le visage d'Isabelle. Au loin leur parvenait le bruit d'un moteur qui s'approchait et, à travers les arbres, le véhicule de Gomis apparut.

– Tu arrives à pic, juste le temps de becqueter et de repartir, dit Oumar, quand le jeune homme mit pied à terre.

– Eh ben, bosser pour toi, c'est de l'esclavage . . . Salut, Isabelle.

Le camionneur prit une assiette et se servit. La poêle étant placée au milieu d'eux, chacun y piquait son morceau.

– A présent, dit l'oncle, je dois rentrer. Viendras-tu à la pêche avec moi un de ces jours?

– Bien sûr. Il y a longtemps que je désirais te proposer notre vieille équipe. Dans l'ancien temps, tu te souviens, nous étions les plus forts.

– Au revoir, Madame, dit Amadou en français. Puis, en ouolof: – Passez la journée en paix.

– Toi aussi, tonton.

L'oncle partit. Oumar donna ses ordres à Gomis.

– J'ai besoin des sacs de ciment. Il faut que je mette de l'enduit sur le banco. Je ne tiens pas à ce que les murs se lézardent d'ici deux ans . . . Ah, pendant que j'y pense, tu n'as pas oublié les pipes?

– Non, répondit Gomis la bouche pleine, mais bon sang, c'est dur de vivre avec toi. Tu n'oublies rien! Rien de rien! Rien du tout!

– L'oubli et le pardon sont indignes chez mon mari, décida Isabelle.

– Je vous laisse à vos caquetages. Le temps, lui, n'a pas rendez-vous avec moi.

– Et le café qui est sur le feu?

Mais Oumar n'écoutait pas sa femme, les yeux attachés sur le ciel.

– Tiens, regarde, dit-il en prenant Isabelle par le bras tandis que Gomis les observait . . . A notre arrivée les nuages étaient plus épais. En saison chaude, ils voyagent du couchant au levant et, lorsqu'ils seront tous à l'est, ils recommenceront à revenir, mais alors remplis d'eau. Si je ne me trompe pas, cette année nous allons être gâtés par la pluie. Et avant le temps prévu.

Isabelle contemplait avec émerveillement les nuages dans le ciel. Tous roulaient dans la même direction. Soudain, elle sursauta. L'eau qu'elle avait mise à bouillir avait débordé et se déversait sur le feu.

Oumar avala d'un trait le café bouillant et repartit à sa besogne.

La saison chaude allait à sa fin, mais, malgré quelques bouffées d'air qui semblaient venir des eaux, la chaleur demeurait.

Ce qui était hier vide s'était rempli peu à peu. Les passants s'arrêtaient pour regarder la maison et, lorsque le zinc recouvrit le toit en ronier, jetant des éclairs métalliques, les indigènes ne parlèrent plus que de la *Palmeraie*, nom dont ils avaient baptisé l'habitation.

Le nouveau foyer des jeunes Faye était entouré de claies. Des arbres fruitiers puisaient leur substance dans le sol humide. Traversant une pelouse verte, une allée centrale conduisait vers les cinq marches qui accédaient à la véranda ceinturant le rez-de-chaussée.

Celui-ci se composait de quatre grandes pièces, largement aérées par des portes-fenêtres. Des peaux de bêtes couvraient le parquet et, tout autour de la salle de séjour, des livres étaient rangés sur des étagères. Un petit escalier, fait de troncs de ronier, menait aux chambres du premier. Dans leur chambre à coucher, un très grand lit de bois verni se dissimulait sous une moustiquaire. La fenêtre ouvrait sur le marigot et, dans le lointain, on apercevait la Casamance.

Cette maison était pour Oumar le symbole même de sa volonté, le désir qu'il avait eu d'avoir son *home*, sa maison à lui. La main dans la main avec Isabelle, ils admiraient leur travail. Mais ce qu'ils contemplaient leur semblait encore un rêve! Brusquement, Faye la souleva et elle se retint à son cou. Ils se dirigèrent vers la maison. Tenant toujours sa femme dans ses bras, Faye la monta jusqu'à leur chambre où, cérémonieusement, il la déposa sur le lit. Isabelle l'attira à elle. Faye lui sourit.

– Voilà ta maison, femme, et toutes les clefs . . .

– Je me demande, dit-elle, si je dois seulement être fière de toi ou si je dois t'adorer?

– Que ton cœur, répondit gravement Faye, gouverne tes actes.

– Sais-tu à quoi je pense?

– Non, dit Faye.

– A la chambre d'hôtel où, pour la première fois, je t'ai cédé . . .

Oumar se pencha sur elle. Son haleine balayait le visage de la jeune femme. Il aimait ainsi caresser ses cheveux.

– Si les souvenirs ont besoin d'être rappelés à notre mémoire, par contre, il y en a d'autres qu'il faut détruire . . . Viens, allons prendre un bain et, ce soir, rien que nous deux, pour fêter cet événement. Allez, ouste! A l'eau, dit-il en se levant.

Limpide et claire, l'eau du marigot laissait voir le fond sablonneux où de petits poissons, par bandes, nageaient dans une parfaite tranquillité. A cette heure de la journée, l'eau donnait au corps ses plus belles délices.

– Passe-t-il des gens ici? demanda Isabelle, déjà dans l'eau.

– Ceux des villages avoisinants . . . Oh, tu les verras; c'est justement le moment où l'on recueille le vin de palme . . .

Et soudain, sous l'impulsion de l'idée qui lui venait, il poussa un cri aigu.

- Tu m'as fait peur, s'écria Isabelle.
- Écoute donc, dit-il, en tendant lui-même l'oreille.

Mais aucune réponse ne parvint à Faye. Alors, il reprit son cri: «Oûou, oûou, oûou . . .» Et, cette fois, dans l'intérieur du bois, le même cri lui répondit.

- Tu entends? s'exclama-t-il avec satisfaction. Sortons, maintenant.

Sa peau sombre brillait sous les gouttelettes argentées. Avec sa carrure athlétique, ses muscles saillants et ses attaches fines, il ressemblait à un totem d'ébène. Il se déplaçait avec une grande légèreté. Ils arrivèrent au pied d'un palmier où travaillait un homme, relié à l'arbre par un *candabe* (1) qui lui permettait de grimper. Les deux hommes se parlèrent un moment, tandis qu'Isabelle, toujours en maillot de bain, les observait. Puis, par petits bonds, l'homme s'éleva, les pieds perpendiculaires au sol. En un rien de temps, il eut atteint le sommet, faisant voler autour de lui les palmes mortes avec son coupe-coupe. Il pratiqua des saignées aux parties les plus sensibles de l'arbre et y pendit des gourdes. Avec la dextérité que procure une longue pratique, il pivota de l'autre côté de l'arbre.

- C'est formidable! A sa place, je serais morte de peur . . . Il peut arriver des accidents, hein?
- C'est le risque du métier.
- Tu n'as pas de cœur!
- Toi, tu en as pour moi . . . Allez, à la maison en vitesse!

Ce soir-là, ils dégustèrent royalement la félicité de la vie conjugale.

Oumar pêchait maintenant fréquemment avec son oncle. Leurs prises étaient partagées par moitié. Sur la sienne, le jeune homme en vendait une partie et faisait sécher l'autre. On se demandait: pourquoi conserve-t-il ce poisson? Oumar mûrissait son plan et, sagement, attendait. Amadou lui-même n'en avait rien tiré. Et c'était avec saisissement qu'il assistait à l'opération de dépouillage; Isabelle et

(1) Ceinturon fait de palme fraîche.

Oumar, armés chacun d'un couteau, nettoyaient les captures. Ce qui frappait le plus Amadou, c'était la femme: Isabelle aidait son mari avec une ardeur qui ressemblait à de la véhémence, un courage qui ne se démentait pas.

La saison arrivait à son terme. Les grondements lointains du tonnerre se rapprochaient. Parfois, au lieu de poissons, le neveu obtenait de son oncle un chargement d'huîtres. Les racines des palétuviers emplissaient le fond de la barque. Amadou était complètement dérouté . . . Des huîtres, se demandait-il, et pour quoi faire? Faye lui payait sa part, mais cela n'expliquait pas sa façon d'agir, pas plus que les coquillages séchés qu'il accumulait en quantité. Et, lorsqu'on interrogeait Amadou sur les intentions de son neveu, il pouvait seulement répondre:

– Je vous assure, je n'en sais rien.

Les curieux mettaient ses paroles en doute. Amadou jurait tous ses grands dieux, sur ses enfants et sur la tête de tous ceux qu'il chérissait, qu'il n'était pas au courant des projets du garçon. La discrétion de Faye lui devenait un poids sur la conscience. Ce soir-là, l'oncle décida de l'interroger.

Sous l'éclat triste de quelques étoiles, la pirogue avançait en direction du couchant. Les rames battaient l'eau à un rythme cadencé. Le long de la rive, des palétuviers se profilaient lugubrement sur la pénombre mélancolique du soir. Depuis leur départ l'oncle et le neveu n'avaient pas échangé un mot. Le silence résonnait à leurs tympans. Dans la demi-obscurité, Oumar cessa de ramer. Il se tenait à l'avant. Alors, ayant pris le filet, il le vérifia à nouveau, puis se mit debout et, de la main, dirigea la manœuvre.

Son oncle obéissait à ses mouvements en évitant de faire du bruit avec la pagaie. Il jeta le rets qui s'ouvrit dans l'espace, il le laissa se refermer dans l'eau et, au bout de quelques secondes, le hissa à bord. Des carpes, des mulets et d'autres poissons jonchèrent le fond de la barque. Ils recommencèrent. La pêche était bonne. S'élevant au-dessus du paysage, la lune inondait maintenant le fleuve d'une couche laiteuse. Le hululement des oiseaux nocturnes se mêlait aux glouglous des caïmans . . .

- Oumar . . ., commença l'oncle.

Puis il marqua un long temps d'arrêt pour reprendre:

- Je voudrais bien savoir ce que tu comptes faire avec ton séchage?

Il déplaisait à Oumar qu'on lui posât de telles questions. Mais le calme et la gravité de son oncle, surtout le silence qu'il avait marqué avant de poser sa question, l'avaient touché. Il sortit sa rame de l'eau, car il avait cessé de jouer du filet; Amadou en fit autant et la pirogue se balança paresseusement.

- Écoute, dit Faye, je veux devenir cultivateur. Bientôt, c'est l'hivernage et les laboureurs en auront besoin.

Amadou était de plus en plus stupéfait.

- Dis-moi, neveu, tu n'es pas en train de te foutre de moi, par hasard?

- Non, oncle. C'est vrai.

- Tu sais . . . Non.

Amadou trouva superflu d'en dire davantage. Il ajouta seulement:

- Allons en aval, et nous pêcherons avec la ligne.

Ils remontèrent le fleuve. Les feux des charbonniers crevaient la nuit sur la rive; plus loin, l'œil borgne du phare clignotait. Ils se trouvaient à présent près de la grande fosse, c'est-à-dire entre deux eaux, celle de la mer, et celle du fleuve. Le mélange des deux eaux offrait un spectacle saisissant. Faye sortit une cigarette, l'alluma et s'allongea sur les prises, pendant qu'Amadou amorçait d'un poisson vivant. Ils ne ramaient plus, laissant l'embarcation aller à la dérive.

Un long temps de patience s'écoula, quand un mouvement sec et brutal faillit les faire basculer. Ils se trouvaient tirés vers l'océan.

- Un requin à scie, s'écria Amadou.

Oumar saisit à temps la pagaie. La bête changea de direction, se tourna vers l'eau douce. Pour fatiguer le requin, ils le laissèrent courir en amont. Dans cet élément qui n'était pas le sien, ses forces diminuaient rapidement. Mais il gardait sa traîtrise! La capture d'une telle bête nécessite une grande maîtrise de soi. Le remous empêchait Oumar de garder son équilibre. Le requin revint vers eux, découvrant sa forme monstrueuse.

– Ne le laisse plus passer en dessous! dit Amadou.

Mais le squale manqua encore de les renverser et plongea de l'autre côté. Amadou, cependant, ne l'avait pas lâché. Il arrêta sa course d'un coup net, puis d'un autre encore; la bête faisait des sauts extravagants dans un bruit de tempête qui profanait le calme de la nuit. L'exaltation du requin était maintenant à son comble, il chargeait littéralement les deux piroguiers. Eux faisaient tout pour l'éviter, mais, autant par malice que par fourberie, la bête se mit à les poursuivre, en tournant en rond. Cela dura plusieurs heures. Le requin se laissait flotter puis, au moment où ils l'approchaient à nouveau, se mettait à charger. Amadou fut renversé. La pagaie échappa des mains de Faye et disparut dans le fleuve. Ils dérivaient doucement vers l'eau salée.

– Prends la ligne, qu'il ne t'échappe pas. Je me suis fait mal au bras.

Une lueur blanchâtre naissait à l'horizon. La nuit vomissait les formes une à une.

Isabelle allait et venait sous la lueur de la lampe à pétrole. Elle ne savait que faire. Lire? Elle n'en avait pas envie. Dormir? Elle ne faisait que cela. Les cheveux noués en queue de cheval, elle était vêtue d'un pantalon et d'une chemise d'homme. Elle décida de sortir.

– Pourquoi pas au ciné? se dit-elle.

Sur le talus de la route de Candé à Ziguinchor, les lampadaires très espacés projetaient son ombre en avant lorsqu'elle passait et la gardaient après elle. Seule sur la grande route, elle fredonnait une chanson. Le cinéma, là-bas, était en plein air, entouré d'une haute palissade. Pour y entrer, il fallait passer sous l'écran, face à la cabine de projection surélevée.

Il y avait deux catégories de places: des bancs pour les indigènes et des chaises pour les blancs. Cette ségrégation était en partie due à la différence de prix. Quelques indigènes auraient pu cependant se payer le luxe d'une chaise, mais ils s'y refusaient par solidarité et se logeaient à la même enseigne que leurs frères.

Lorsqu'elle prit place sur la chaise un peu raide, la rangée était à moitié vide. Pourtant, il semblait à Isabelle avoir reconnu l'homme du bateau, assis auprès d'un autre blanc. Ce dernier se déplaça et vint à elle avec un air insolent et moqueur.

– Vous permettez, Madame Faye, que je prenne place à vos côtés?

– Je ne peux pas vous en empêcher!

Elle sentait le regard de l'homme sur elle et se taisait.

– Est-ce que l'on vous défend de parler aux brancous? En compatriotes que nous sommes, je trouve que ce n'est pas très poli. Mais je ne mords pas!

Sans répondre, elle sortit une cigarette. L'homme s'empressa, mais Isabelle fouilla ses poches en l'ignorant et alluma posément sa cigarette.

– Même ma flamme,* vous ne la voulez pas? constata-t-il avec un demi-sourire.

Du coin de l'œil, elle observa ce profil droit et froid, au menton que couvrait une barbe dite «à la coloniale» qui lui donnait un air de baroudeur. Son regard dur était difficile à supporter. Elle finit par s'énerver:

– Ne voudriez-vous pas reprendre votre place? Votre présence me dérange.

– Tout doux, beauté. Ici, chacun a payé sa place.

– Vous m'ennuyez. C'est du français, non?

– Je pensais que vous parliez nègre.*

Elle le gifla violemment. Ahuris, les autres se retournèrent. Elle ne comprenait pas très nettement ce que disaient les noirs autour d'elle, seulement «Madame» qui revenait dans leur dialecte. Elle savait que c'était le surnom dont ils l'avaient baptisée.

– Qu'y a-t-il? s'inquiéta Gomis qui accourait. On m'a dit du dehors que tu . . .

Il n'acheva pas, et, se tournant vers le blanc, lui dit sur un ton méprisant:

– Écoute, Jacques, si son mari l'apprend, il te taillera en morceaux . . . Tu crois que toutes sont des Madeleine, imbécile?

L'autre ne répondit pas, mais plein de morgue se leva et sortit.

Voulant faire oublier cette scène à Isabelle, Gomis lui dit:

– Je t'avais vu entrer, mais j'attendais Agbo et Agnès . . . Tiens les voilà . . . Quelles place avez-vous prises? demanda-t-il aux arrivants.

– En seconde, dit la fille, une jeune noire assez corpulente qui répondait au nom d'Agnès.

Gomis fit les présentations.

– Que vous est-il arrivé, Madame Faye? demanda Agbo.

– Je ne connaissais pas cet individu . . .

– Ce n'est rien. Vous l'avez giflé, il le méritait.

– Si vous avez la main aussi leste que votre mari, qu'est-ce que ça doit être chez vous! observa Agnès.

Agnès était une des rares filles affranchies pour lesquelles rien n'a d'importance. Ses compagnons mâles la traitaient en camarade, mais la craignaient aussi pour sa langue acérée.

Les jeunes gens s'assirent tout en parlant.

– Savez-vous que nous avons voyagé ensemble de Dakar à ici, mais comme nous étions parqués sur le pont, il était difficile de se voir, dit Agbo.

– Même vous?

– Bien sûr, même lui, puisqu'il ne s'est pas payé une cabine, persifla Agnès.

– Excuse-la, sourit Gomis, elle est toujours ainsi.

– Et votre mari?

– A la pêche avec l'oncle Amadou.

– Quel casanier, il se fait rare auprès des amis. Isabelle répliqua:

- Et vous, viendrez-vous nous voir dimanche?
- C'est une invitation?
- Oui, Agnès.
- Alors je viendrai.
- Mais tu dois aller à Boutoupa, s'étonna Agbo.
- Non. J'ai changé d'avis.

A ce moment les lampes s'éteignirent. Les actualités commencèrent, puis le documentaire et, enfin, le film. Un cow-boy, des coups de feu, des situations périlleuses d'où, chaque fois, le héros sortait indemne. Le jeune premier finissait par vaincre les hors-la-loi et gagnait l'amour de sa belle dans l'apothéose d'un baiser final. Éternelle séduction des westerns . . .

Le groupe sortit en bavardant:

- Votre maison est très jolie, paraît-il?
- Docteur, cette question est indiscrète, fit remarquer Agnès moqueuse.
- C'est terrible, cette fille n'ouvre la bouche que pour fermer celle des autres.
- Voulez-vous prendre un acompte sur la visite de dimanche? proposa Isabelle.
- Merci, j'ai beaucoup à faire demain, et il se fait tard, s'excusa le docteur.
- Appelez cela du travail! - Agnès singea les gestes du médecin auprès de ses malades, elle minauda: «Où as-tu mal, mon petit? Pour toi, ce sera un cachet d'aspirine, et au suivant . . .» Non, mais entendez-le, fit-elle en riant.

Ils se moquèrent du Dahoméen.

- De vrais enfants: quand ils ne se voient pas, ils se cherchent et, quand ils se trouvent, ils n'arrêtent pas de se taquiner. Nous voici arrivés.

Ils ne distinguaient que le zinc blanc du toit.

- Allons . . . Bonsoir, Isabelle. Venez les hommes, ordonna le jeune fille.
- Bonsoir, Agnès! Bonsoir à tous!

Après quelques pas, ils se retournèrent, regardant la maison.

– Viens, Agbo. Dimanche, tu auras tout le temps.

– Faye va être emmerdé par les autres. Tu as vu comment «ils» commencent avec sa femme . . .

– Ne t'en fais pas . . . Pour la femme, je n'en sais rien. Mais, lui, on ne lui marche pas facilement sur les pieds. En tout cas, il est bien installé. Ce ne sont pas ces coureurs de pagnes qui feraient comme lui. Tout ce que l'on peut dire, c'est que c'est un homme.

– Tu as le béguin . . .? Il n'est pas mal.

– Ce n'est pas mon genre. Il est trop brutal malgré son air calme. Beaucoup de nos compatriotes ont fait comme lui. Mariés à des blanches, à peine arrivés leurs femmes les plaquent . . . La race attire la race . . .

– C'est la vie.

– Hé, les hommes, nous nous séparons ici, dit Agnès, et elle disparut dans la nuit.

Le premier chant du coq réveilla les femmes qui, à leur tour, firent résonner les coups précipités du pilon dans le mortier. Les chiens aboyaient de loin en loin. Dans les foyers, la cendre s'était refroidie. Les enfants trop jeunes pour veiller tard et trop âgés pour faire la grasse matinée, recevaient des claques en guise de réveille-matin. La routine de leur vie de nègre débutait par ces civilités.

Ils venaient de partout, affluant vers le marché. Certains cheminaient ainsi depuis le milieu de la nuit pour obtenir une bonne place, d'autres étaient venus en pirogue. Quelques-uns, nus ou simplement vêtus d'un cache-sexe. Et, peu à peu, le marché s'était peuplé de toutes les tribus de la contrée. Certains avaient les dents limées en pointes, la tête tondue ou les tresses enduites de gras. Les peaux variaient de l'albinos aux paupières blondes, au noir le plus foncé, en passant par le «Portugais» au teint couleur de terre cuite. Sur les accoutrements bigarrés, dans le brouhaha des voix et le mélange des dialectes, les premières lueurs matinales se levaient.

Le marché tient sa cour au centre de la cité. Une halle est réservée à la boucherie et à la poissonnerie, une autre aux marchands de pierreries et d'étoffes venues d'Angleterre et du Portugal, importées par les *Havsas* (1), marcheurs infatigables ou par les *Bambaras* (1). Entre les deux bâtisses, par terre ou sur des nattes de rafia, on trouve des calebasses décorées, des peaux de toutes sortes, des racines inconnues, de la poudre pour les maux les plus divers, des fruits, des œufs de toutes dimensions, allant de ceux de la poule à ceux de l'autruche, sans oublier ceux du caïman. C'est la tour de Babel; un forum nègre. Dans cette fourmilière où hommes et bêtes se mêlaient, les pleurs des enfants, les aboiements des chiens étaient recouverts par les appels des marchands.

La perception des places était journalière, ce qui ne manquait pas de soulever la mauvaise humeur des vendeuses: donner de l'argent à une heure aussi matinale porte la guigne. L'art de marchander joue ici le premier rôle. Rien n'est à prix fixe.

Ordinairement, quand Isabelle arrivait au «poste» de son mari, elle y trouvait Oumar. Deux hommes s'intercalaient entre le père et le fils. Isabelle passa devant son beau-père en lui lançant: «Bonjour, Papa!» Celui-ci vendait du poisson à un *Koniadi* (1), vêtu simplement d'un trousse-couille. Soit que le vieillard n'eût pas entendu, soit qu'il ne voulût pas répondre, il continua de parlementer avec son client. La place de Faye était vide. L'un des hommes, à côté, avança un tabouret. De la main, il fit signe à la jeune femme d'attendre là . . . Sans doute aurait-il voulu donner plus d'explications sur le retard inhabituel de Faye, mais, faute de pouvoir s'exprimer, il sourit le plus poliment possible et se remit à son travail. Isabelle attendit un moment, puis se leva, partit, repassa près de Moussa et elle eut alors l'impression que le vieux la suivait des yeux.

– Bonsour, Madame, dit gaiement une voix, derrière elle.

(1) Groupe ethnique.

– Tiens, Seyna . . . Bonjour.

La jeune fille lui avait fait comprendre par gestes de l'attendre. Elle courut vers son père et revint un instant après. Elle parlait à Isabelle, mais ses paroles restaient incompréhensibles pour la blanche. Seynabou ne pouvant se faire comprendre, l'entraîna par le poignet. Elles inspectèrent le bazar où la cohue était devenue plus dense et s'arrêtèrent.

Une gourde travaillée au fer chaud attira l'attention d'Isabelle. Elle décida de l'acheter. Aussitôt, la noire entreprit de marchander.

– Bonne dame, combien vends-tu cette gourde?

– Oh, ma fille, ce chef-d'œuvre-là, cette mignonne petite calebasse, je te la donne pour cent francs.

– Oh! la! la! c'est trop cher, bien trop cher, et, disant cela, Seynabou prit la gourde des mains de sa belle-sœur et la rendit.

– Écoute, ma fille, ce n'est pas pour toi, c'est pour ta patronne. Alors, si l'on se mange le foie entre nous, que nous restera-t-il? Demande-lui cent cinquante et les cinquante seront pour toi.

– Ce n'est pas ma patronne, mais ma femme . . . (En Afrique, la femme du frère est considérée comme épouse par tous les frères ou sœurs.)

– Alors, pardon et fais ton prix.

Isabelle voyait la gourde aller des mains de la marchande à celles de sa belle-sœur et suivait des yeux la longue palabre des deux femmes.

– Cinquante francs et je paye comptant, dit Seynabou.

– Alors, non, mon enfant, laisse cela, c'est que tu ne veux pas acheter. Ce matin (elle désigna le parterre), j'ai refusé pour soixante-quinze francs, finit-elle par dire d'un air fâché.

Elles s'en allèrent, la marchande cracha sur leurs pas, mais elle les rappela.

– Allons, prends-la et donne-moi quatre-vingt-cinq francs!

– Cinquante!

La marchande médita, compta sur ses doigts en faisant la moue, puis finit par concéder:

– Donne-moi soixante-cinq francs. Je pourrais être ta mère, c'est pour cela que je consens à faire cette perte. Peut-être as-tu une bonne main, car je n'ai rien vendu depuis que je suis ici . . . C'est vrai que c'est la femme de ton frère? interrogea la marchande étonnée.

– Si je te le dis!

– Je te crois. Mais alors, elle ne comprend rien à ce que nous disons?

– Rien.

– La pauvre, dit-elle en regardant Isabelle. Elle a l'air gentil. Tu peux lui dire que j'en ai de plus jolies et que si elle en veut, je les lui vends . . . Et la pauvre, reprit-elle, c'est vrai que nous sommes tous parents!

Elles payèrent.

– Maman . . . (Seynabou désigna la marchande à Isabelle.) Parler . . . Parler beaucoup, beaucoup malin!

A leur retour, les pêcheurs n'étaient toujours pas là, ce qui ne manqua pas d'inquiéter Isabelle. Elle hésitait à parler à son beau-père. Elle avait de lui une peur véritable. Depuis son entrée dans Fayène, ils n'avaient pas échangé d'autres paroles que celles de leur arrivée. Isabelle ignorait la raison pour laquelle cet homme lui manifestait une telle hostilité. L'heure passait et ses craintes pour Faye augmentaient. Que faire? se demandait-elle. Ne pouvant plus se taire, elle se tourna vers le vieux:

– Oumar?

Il baissa la tête et fit un geste qui signifiait: «Je n'en sais rien.» Pourtant il était inconcevable que des hommes, partis à la pêche par un temps normal et sans la moindre préoccupation, ne puissent en revenir. Les caïmans? bien sûr, ce ne serait pas la première fois. Mais il ne fallait pas y penser . . . Sur les wharfs, les regards scrutaient l'étroit goulet. On avait appris que des pêcheurs n'étaient pas rentrés et le silence – plus que les commentaires – exprimait la solidarité de tous. Aucun signe à l'horizon. Le marché sembla retenir son souffle. Le vent, seul, modulait un gémissement sourd.

D'autres étaient venus grossir les rangs des premiers

arrivés, certains assis sur les traverses, les jambes pendant dans l'eau. L'optimisme habituel à ce lieu et à cette heure fit place alors à l'angoisse des esprits superstitieux. Au milieu de la foule, Isabelle, pour se donner une contenance, alluma une cigarette, mais l'inquiétude oppressait sa gorge. Elle alla s'isoler au bout du port sur un parapet, fixant de toute son attention l'horizon lumineux.

Dix coups pleins s'égrenèrent à l'église proche, Voyant que l'heure passait, on organisa une équipe de secours. Moussa et quelques autres prirent des pirogues. A ce moment, la foule désigna un point noir au milieu de l'estuaire. Bientôt, un homme fut visible dans l'embarcation. Mais les esprits se troublèrent à nouveau en reconnaissant Amadou, l'avant-bras enveloppé de branchages, gisant à côté du géant des eaux qui le dépassait de son long nez.

Un curieux, par mégarde, tomba à l'eau, ce qui entraîna une hilarité générale. Le vieux Moussa aida son frère à monter et donna des ordres à son fils.

– Que vous est-il arrivé? s'informa Isabelle en jouant des coudes pour approcher son mari.

– Un requin . . . T'as une pipe?

En quelques mots, il lui conta leur aventure, riant de toutes ses dents et exposant l'animal, comme un trophée, sur la place publique. Les histoires allaient leur train.

A travers la foule, Oumar gagna sa place pour la vente. Isabelle s'appuyait à lui, cherchant sa main. Une voix, tout à coup, tandis qu'elle s'asseyait, la fit frémir.

– Mes respects, Madame.

Relevant la tête, elle aperçut d'abord les samaras puis les poils des mollets nus, un short kaki, la chemise coloniale et un casque blanc.

Faye reconnut Raoul, son adversaire du bateau. Il serra les mâchoires, les veines de son front se gonflèrent, son poing se ferma, mais il se domina.

– J'avais une commission pour vous, de la part de Jacques, peut-être que le nom ne vous dit rien? C'est le blanc avec qui vous étiez hier au cinéma, vous l'intéressez et lorsqu'il a quelqu'un dans la peau, il va jusqu'au bout . . . D'ailleurs, il n'est pas mal, vous savez?

Il avait dit tout ça d'un ton mielleux.

Les lèvres d'Isabelle tremblèrent. Oumar posa la main sur l'épaule de sa femme dans un geste que remarqua le gérant de la Cosono, et celui-ci poursuivit en s'adressant directement à Faye:

– Nous nous connaissons, je crois, jeune homme. Tu es rare en ville, mais ce n'est pas pour toi que je suis venu aujourd'hui . . . Je t'ai à l'œil tout de même, ne crains rien.

Toute sa haine avait surgi dans ses yeux, mais comme un caméléon, ses traits se détendirent aussitôt.

Faye s'approcha.

– Écoute bien ce que je vais te dire . . . Les gens de ton espèce son nuisibles pour les noirs, mais ils le sont encore davantage pour ceux de leur race. La prochaine fois, je te ferai ravaler tes paroles. Et je t'assure que tu finiras par taire ton bec. Pour ce qui est d'elle, je ne te dis rien, elle est là, hein? Qu'un être en arrive si bas, cela me répugne. Quant à avoir du bougna, reviens demain.

– Tu parles de vente, combien la prise?

– Pour toi! J'aimerais mieux le laisser pourrir.

Le blanc haussa les épaules, méprisant.

– Dommage, tu en aurais tiré un bon prix.

Et il s'en alla.

Comme si rien ne s'était passé, Faye alla vers une jeune négresse qui vendait des chapeaux de paille. Il en choisit un et le rapporta à sa femme.

– Tiens. Ne crois pas être déjà habituée au soleil.

– Tu crois ce qu'il a dit, au sujet de ce type?

– Non.

– Pourquoi sont-ils si méchants?

– Il faut qu'ils humilient, qu'ils arrivent à me pousser à bout de façon que je devienne une seconde fois leur victime. Parce que . . . premièrement, je n'ai pas le droit de vivre, de sentir les choses, de les aimer, de me tailler une place au soleil. Ils ne veulent pas que je franchisse mes limites et, si je leur résiste, ils feront tout pour se débarrasser de moi . . . Et puis, ils ne tolèrent pas qu'un nègre s'accouple avec une blanche, c'est bafouer leurs lois . . .

Il se tut, reprenant son calme, et Isabelle ne répondit rien.

Après la clôture du marché, ils allèrent rendre visite à Fayène. Des gémissements, par saccades, arrivaient de la chambre obscure; les pleurs des femmes donnaient un ton lugubre à la veillée.

Le vieux Moussa fit entrer son fils dans sa chambre. Il récitait le Coran sur une natte. Le vieil homme prit son temps avant de dire:

– Ta femme est venue au marché sans me saluer? Ne crois-tu pas qu'elle a mal agi?

– Elle m'a dit le contraire.

– Ah, c'est donc moi le menteur?

Oumar ne sut quoi répondre. En Afrique, on ne contredit pas son père et, cependant, il avait la certitude qu'Isabelle ne lui avait pas menti.

– Tu sais qu'elle ne dit pas la vérité. Les blancs sont tous comme ça. Crois-moi, fils, je les ai connus avant toi. Leurs paroles ne valent pas la fiente d'une poule . . .

Cette conversation devenait odieuse à Faye. Il en voulait à son père et il avait hâte que celui-ci eût terminé. Mais ce qui le mettait surtout au supplice, c'était que Moussa pouvait lui dire tout ce qui traversait son esprit, alors que lui devait se contenter d'acquiescer.

Faye quitta son père avec soulagement et rejoignit Isabelle attablée avec sa mère.

– Qu'a dit ton père? s'informa Rokhaya.

– Il m'a parlé de Dieu, répondit Oumar songeur, en se grattant la nuque.

– Tu sais qu'il a raison. Tu es né dans la croyance et tu as été élevé selon les commandements du Coran. Tu sais le lire aussi bien que le livre des toubabs, mais jamais ton front n'a touché terre . . . Si tu meurs demain, que feras-tu, mon fils? La jeunesse ne reste pas toujours.

– Qui t'a dit, mère, que je ne priais pas?

– Tu le fais, oui, lorsque quelqu'un est mort . . . Je ne souhaite pas que tu pries pour moi.

– Oh . . . je n'ai pas encore envie de le faire pour toi! et il prit Rokhaya par les épaules.

– Fils de chien, murmura-t-elle, qu'est-ce que j'ai fait au Bon Dieu pour qu'il me donne un chien . . .

– Je ne suis pas un bon fils?

– A présent, éluda-t-elle, que vas-tu faire? Tu vas travailler dans un bureau?

– Non, dit-il. Je me lance dans la culture.

– Quoi? – Elle était stupéfaite . . . Il n'y a jamais eu de cultivateurs dans ma famille, ni dans celle de ton père, ni du père de ton père . . .

– A partir de maintenant, on ne pourra plus le dire.

– Dieu, Dieu, mon Dieu! se lamenta Rokhaya en passant ses mains sur son visage . . . Et ton oncle? Il va rester seul? Il n'est pourtant pas bien en point.

– Mère, ce n'est pas grave. J'ai fait le nécessaire . . . Qu'est-ce qu'a dit Massiré?

– Je te prie, tout d'abord, de dire Papa Massiré!

Devant cette hostilité qui ne désarmait pas, Oumar dit à Isabelle qu'ils allaient rentrer. Rokhaya, les voyant partir, lui cria:

– Fils de chien, va-t'en, va-t'en!

En riant, ils disparurent vers les palmiers.

– Que t'a dit ma mère? demanda Faye à sa femme. Tu as compris?

– Pas beaucoup . . . Dieu, le Coran . . .

– Oui, dit-il. Mon père désirerait que tu deviennes musulmane.

Il y eut un silence.

– Et toi, demanda-t-elle, qu'en penses-tu?

– A vrai dire, cela ne m'emballe pas et, d'abord, tu n'y connais rien . . .

– Je peux apprendre, dit-elle.

– Tu sais, j'aurai droit à quatre femmes?

– Ah, oui? Flûte, alors . . . Mais dis, avant, tu les faisais, tes prières?

– C'est au baroud que j'ai compris que c'étaient des foutaises. Il y a des gars qui n'en rataient pas une, de prière, et ils sont tous restés dans le froid . . .

– Tes parents, dit Isabelle, vont croire que c'est de ma faute.

– Ce n'est pas avec eux que tu vivras et, d'ailleurs, je croyais cette question réglée entre nous.

– C'est vrai.

– Alors, gardons-nous seulement du mal et que Dieu nous aide à l'extraire de nos esprits . . .

Le silence s'installa de nouveau entre eux; Oumar était pensif.

– Toi et moi, dit Oumar enfin, nous avons reçu une éducation différente, aussi opposée que la couleur de nos deux peaux. Une seule équivoque suffirait pour faire crouler notre vie ensemble. Pense toujours que nous vivons entre deux mondes, entre le jour et la nuit. Ni un noir, ni un blanc ne peuvent imaginer que nous puissions nous entendre. Tu as vu comment, même *chez moi*, même dans ma famille, j'ai été reçu? Et lorsque pour la première fois j'ai vu ta mère, après cinq mois que nous nous connaissions, tu te rappelles comment mon orgueil a été blessé? La terre n'était pas assez profonde pour m'ensevelir alors. Ton père, heureusement, a été plus compréhensif.

– Quant à moi, je ne peux pas en dire autant! . . .

– En effet, dit Faye. Mais, maintenant, nous avons un chez nous. Oublions-les.

Sans se rendre compte, ils étaient arrivés à la Palmaraie.

DEUXIÈME PARTIE

1

D'après les calculs d'Oumar, la saison des pluies n'était plus qu'une question de jours. Seules, quelques bouffées d'air, toutes chargées de tiédeur, se déplaçaient dans l'espace. Les nuages ne voyageaient plus. Le jeune homme continuait ses longues randonnées à travers la savane. Toujours pieds nus, il marchait en attaquant la terre de toute la surface plantaire. Il avait repéré tous les arbres autour de la Palmeraie. Les nomades avoisinants se demandaient si le fils du pêcheur n'était pas devenu fou. Ces courses dans la savane étonnaient. On racontait l'avoir surpris plus d'une fois en train de parler seul. Mais lui se saoulait de nature et n'en était jamais repu. Ses yeux avaient vu le jour dans ce pays; il se savait pétri de cette glèbe qui était sienne. Sa peau était imprégnée de sa saveur. Depuis son enfance, il s'était frotté à elle de la tête aux pieds. Ah, qu'il aimait la terre, cette terre, sa terre, comme il la chérissait! Il en était jaloux. Il la comparait à une femme aimante, et aimée. Il faisait la chevelure de ses arbres; la chair de sa terre; les os de ses pierres;* des rivières, son sang et de ses sources, ses regards; pour sa bouche: un fruit mûr; pour les seins: les collines. Il imaginait des mains, des bras invisibles, qui se défendaient, se rendaient et se fermaient. La forêt était sa toison mystérieuse, ses genoux, sa force et sa faiblesse et pour voix elle avait le vent, le tonnerre ou le doux murmure de la nuit.

C'était une bonne mère et une brave femme. Mais, par moments, elle se révolte, car elle aime la brutalité des coups répétés de la petite *konco* (houe).

C'est ainsi qu'Oumar embrassait les prémices de la vie paysanne. Les jours, les semaines importaient peu à présent, les saisons seules devaient régler son existence. Et Oumar aurait poursuivi sa course dans la savane s'il ne s'était souvenu qu'Isabelle, justement, avait invité les copains.

– Ah, te voilà, vadrouilleur, lui cria-t-elle en l'apercevant. Tu me colles tout le boulot . . . Fainéant, va . . . Tiens, j'ai écrit aux vieux, finit-elle par lui dire, quand son mari fut rentré.

Elle disparut dans la cuisine, après lui avoir mis la lettre entre les mains.

«Ziguinchor, le . . .

«Mes chers Parents,

«Je n'ai pas manqué à la promesse faite avant mon départ. En effet, si je ne vous ai pas écrit très souvent, j'ai du moins envoyé des tas de câblogrammes. Ne vous inquiétez donc pas, ma santé est très bonne et celle du Grand aussi.

«A notre arrivée, nous ne sommes restés qu'une nuit dans la maison de son père, puis nous avons campé pendant deux mois. Le Grand a durement travaillé et je l'ai aidé de mon mieux. C'est à la sueur de notre front que nous nous sommes construit notre *home*. C'est un genre de bungalow tout en *poto-poto*, pour employer l'expression d'ici, c'est-à-dire une sorte de torchis. La construction a donné lieu à pas mal de discussions et, finalement, nous nous sommes fait des concessions: c'est moi qui me suis occupée du bas où il y a la cuisine et lui, mon seigneur et maître, s'est occupé de l'étage et de la toiture.

«Me voilà donc Casamancienne et je ne m'en plains pas. Notre maison est à côté d'un marigot; de toutes les fenêtres on voit des arbres et, par pleine lune, on aperçoit le grand fleuve qui miroite.

«Comme j'ai un peu de loisirs avant l'arrivée de nos invités, je vais vous parler de mes beaux-parents. Le père d'Oumar a trois épouses dont la première est ma belle-mère: c'est une femme étrange qui a la réputation d'être un peu voyante. Nous nous parlons rarement et presque jamais avec son père qui est une sorte de prédicateur à la mosquée.

«Dès mon arrivée, j'ai fait figure d'intruse et cela continue. Je souhaite que cela ne dure pas trop et, pour le moment, je ne fais pas part à Oumar de mes appréhensions. Ce qui ne rend pas les choses faciles, c'est que je n'ai pu jusqu'ici attraper que quelques phrases de leurs dialectes qui sont innombrables. D'autre part, les parents du Grand désapprouvent l'attitude de leur fils: d'abord parce qu'il a épousé une blanche, ensuite parce qu'il n'est plus d'accord sur leur sens du clan. Ici la famille joue un rôle énorme. Tout est mis en communauté, on n'a rien à soi et lorsqu'on donne, c'est avec l'idée que si demain on a besoin de prendre, on pourra le faire.

«Enfin, je pense qu'il y a aussi une troisième raison qui fait que je ne suis pas très bien accueillie: c'est que nos deux pays ne sont pas pleinement souverains. Je vais vous recopier une phrase, que je viens de lire dans le livre d'un Chinois dont j'ai oublié le nom, qui vous fera bien comprendre ce que je veux dire: «Dans les pays qui sont placés sous une domination étrangère, les individus perdent peu à peu leur puissance créatrice et, de génération en génération, leur énergie diminue.» J'ignore si je serai comprise un jour ici, mais pour le moment j'apprends à connaître la race de mon mari, je partage ses angoisses, mais aussi son optimisme.

«Vous savez, mes chers parents, il y a une grande différence entre les noirs dont on nous parle en classe ou qu'on voit dans nos spectacles et ceux qui vivent chez eux. Nous recevons assez souvent une bande de copains, presque tous des jeunes, et c'est comme cela que je m'aperçois des changements qui ont lieu en ce moment. Le noir nonchalant et oisif qui ne se soucie pas du lendemain est en train de disparaître peu à peu, au fur et à mesure que disparaissent les vieux. La jeunesse a l'air de mieux voir où elle veut aller, Je ne sais si je me fais bien comprendre, mais c'est quelque chose que je commence à sentir.

«D'ailleurs, ici tout marche bien. J'aimerais beaucoup que vous puissiez venir passer un ou deux mois avec nous. En attendant, écrivez-nous un peu plus souvent. La vie est-elle toujours aussi chère à Paris? Ici c'est un véritable paradis à ce point de vue.

«Que devient Louise? Va-t-elle souvent au bal? Oumar a une demi-sœur qui a son âge et qui s'appelle Seynabou.

«Il y a ici une véritable plaie, ce sont les moustiques. Malgré la moustiquaire, nous sommes envahis. Faites quelque chose pour nous en nous envoyant des produits contre ces sales bestioles.

«Nous vous embrassons.

»Mme Oumar Faye
«Route de Candé-La Palmeraie»

Tandis qu'il lisait, Isabelle était venue se mettre à ses côtés sur le divan. Oumar replaça la feuille dans l'enveloppe, la cacheta et s'étira.

– Tu ne m'as jamais fait part de tes craintes, dit-il.

– Je ne voulais pas te faire de peine.

– N'est-ce pas un manque de confiance?

– Ne dis pas cela! fit Isabelle en se rebiffant. Pardonne-moi si j'ai mal fait, mais ne te mets pas à douter de mes sentiments.

Faye n'aimait pas les attendrissements; il lui dit gaiement:

– Tes invités vont arriver. Il faut que j'aille me préparer.

Glissant sur la pente lisse du ciel, la vapeur des nuages prenait la couleur de l'indigo dans l'eau savonneuse. Bien loin au-dessus des bois, une haute barrière flamboyante lançait des flèches de soufre dans le saignant vif de l'horizon.*

Ce dimanche-là, presque toute la jeunesse était venue à la

Palmeraie. La plupart avaient mis leurs habits de fête, à l'exception de M'Boup et de Seck Dieng; Agnès, en robe colorée, était en compagnie de deux désirables jeunes filles.

On s'était installé tant bien que mal, qui sur des chaises, qui sur les marches du salon. Les verres circulaient de main en main, Isabelle - vêtue d'une jupe écossaise et d'une chemisette - offrait des gâteaux de riz. Diagne, sur la dernière marche, les dominant tous, disait en connaisseur:

- Voyez, mes chers amis, il n'y a rien de plus beau, de plus agréable, le dimanche après-midi, que la compagnie de belles filles. Pour vrai de vrai, on juge la femme selon ses mets . . . Cette fin de journée me rappelle mon Saint-Louis du Sénégal, berceau de la civilisation africaine. L'art d'accueillir les hommes y est l'unique souci des femmes . . . Ne vous étonnez pas si Loti y est resté plus qu'il ne fallait . . . Ce n'est pas vrai, beauté? demanda-t-il à la jeune fille assise sur le canapé et qu'il dominait.

- Je n'en sais rien, répondit-elle d'une voix timide.

- Ne dis plus rien, Rosaline. Il commence ses travaux d'approche, intervint Agnès.

- Merci, ma sœur, de m'avoir facilité la tâche.

- Dites, Monsieur Faye . . .

Mais le docteur n'avait pas commencé sa phrase que Oumar lui coupa la parole.

- Docteur, entre nous, si nous laissions tomber le «Monsieur» . . .

- Je vois, dit-il avec tranquillité en replaçant ses jambes l'une sur l'autre; tu es de ceux qui disent que la politesse a pour base l'hypocrisie?

- C'est peut-être vrai, dit Faye.

Isabelle poussa du coude son mari, pensant qu'il avait froissé Agbo.

- Excusez mon mari, docteur. Sans doute vous êtes-vous mal compris?

- Je suis de son avis, répliqua Agbo en sirotant son verre.

A ce moment, un blanc fit irruption dans la pièce. Agbo se leva et le présenta. «Joseph, spécialiste des maladies coloniales.» Un froid immobilisa les causeurs. Le dernier arrivé craignit d'en être la raison. Faye prit la parole:

- Docteur Joseph, où avez-vous fait vos études?

- A Paris, à l'hôpital Saint-Louis, puis un an à Marseille, au Pharo. Connaissez-vous Marseille?

- Non.

- Il paraît que c'est une ville de voyous et de bandits. Beaucoup de nos compatriotes y sont mal vus, dit un jeune noir avec emportement.

- Souviens-toi de ce dicton, petit: «Que le vent qui emporte les feuilles dans les gouffres ne les en sorte plus», dit l'instituteur qui n'avait pas encore parlé.

Agnès pensivement répondit:

- Moi, j'ai un oncle qui y vit depuis des années; souvent il écrit à ma mère. Il est marié et père de trois enfants . . . Ah! fit-elle avec un soupir d'espoir, j'aimerais pouvoir visiter la France.

L'instituteur déclama:

Pourquoi, heureuse enfant,
Pourquoi quitter notre doux pays
Pour ces villes trop peuplées,
Pour récolter la souffrance,
Confier ton corps à des nervis,
Faire de grands adieux à nos chers baobabs?
Toi, ici à moitié vêtue,
Là-bas frissonnante sous la neige,
Comme ils te manqueront nos tam-tams,
Nos rires francs,
Et si le corset sans pitié emprisonnait tes flancs
Il te faudrait mendier ton dîner
En vendant le parfum de ta chair,
L'œil rêveur, suivant dans le sale temps
Les épais fantômes d'arbres absents.

L'ovation fut sincère; touché, le maître d'école se leva en faisant des révérences qui allaient mal à son aspect rude et grognon. Il rêvait d'aller au théâtre, ne serait-ce qu'une fois, pour voir *Roméo et Juliette*. Seck savait que les vers qu'il venait de réciter n'étaient pas de lui.

– Moi aussi je peux en dire, et de plus beaux, dit le descendant des Maures.

– Nous écoutons, fit Gomis après un silence.

– Toi, Agnès, tiens-toi tranquille, ou va te promener.

– Il va dire des imbécillités. C'est la seule chose qu'il sache faire!

– Merci, dit-il avec gravité. Il débuta:

«Vrai ou pas vrai, car il est très difficile de vous le confirmer. Cela se passait au Sénégal, ou peut-être dans le Niger, au Soudan, et pourquoi pas en Côte d'Ivoire? . . .»

– Parle, nom de Dieu! Pas de singerie, dit M'Boup.

– Voilà mon secrétaire qui s'affole, enfin . . . «Au début de la colonisation, un couple de blancs s'était lié d'amitié avec un indigène. Les mois et les ans passèrent consolidant leurs sentiments réciproques. Un jour, hélas, comme cela nous arrivera à tous . . .»

Diagne fit une pause et tâta ses poches.

– Qui m'en donne une? Une jaune, bien sûr,

– Voilà, mon frère, dit Faye.

– Merci, beau-frère, j'épouserai ta sœur.

– Pour une cigarette? Seyna n'est pas chère, grommela Agnès.

– Une minute! . . . Je continue. Où en étais-je? Ah oui. «Donc comme cela nous arrivera, disais-je, le colon meurt, la femme en fut très peinée, le noir aussi. Quelques jours après, la brave dame donna de l'argent à notre héros, pour qu'il achète une couronne et la dépose sur la tombe de son époux. Le lendemain, elle faillit tomber à la renverse, en le voyant venir, les fleurs autour du cou.

« – N'as-tu pas compris qu'il fallait la déposer sur la tombe? dit-elle.

«Il ouvrit de grands yeux en faisant des gestes que la veuve ne comprenait pas. Il dit enfin:

« – Y'en a des fleurs sur Monsieur.

«Et il désigna son estomac du doigt.»

- As-tu toujours des idées semblables? demanda le médecin africain choqué.

- N'est-elle pas de bon goût mon histoire?

- Non, répondit Agnès. Je l'avais dit au début, qu'il ne savait rien de bien!

- Enfin, disons que c'est de l'esprit qu'il fait.

Tous les dimanches ils se donnaient rendez-vous à la Palmeraie, parfois même un soir de la semaine. La grande place se vida de leur présence. Ils trouvaient chez les Faye *N'iangkatang* (1) ou *Dempéting* (2) que leur servait avec amitié «Madame».

Une chaleur âpre et suffocante semblait se figer autour des êtres et donnait la sensation d'être englué de la sueur qui s'amoncelait sous les aisselles, à la naissance du cou, pour dégouliner ensuite le long du corps.

Un nuage ténébreux assombrit le levant et s'étendit au-dessus de la ville. Il envahit progressivement le ciel et rejoignit le disque rouge que formait le soleil. Les cases reprirent leur vraie teinte de terre grise et, bientôt, tout fut noyé de pénombre. Soudain, venant de la brousse, le vent agita le feuillage des arbres, fit balancer mollement les longues palmes et rafraîchit les visages moites de transpiration.

Venu des lointains du ciel, zigzaguant en coulée rapide, l'éclair fulgura et se perdit dans les profondeurs du néant. Une déflagration secoua les demeures, la terre en trembla. Comme les années précédentes, l'ouragan était là. La mer aérienne préparait sa tempête. Majestueuses et graves, les vagues d'air déferlaient, précipitant et emportant tout sur leur passage. Pour rendre la cérémonie plus solennelle, les arbres flexibles se courbaient. Un crépitement sur les zincs ondulés des toitures annonça la pluie.

(1) Riz simplement bouilli.

(2) Riz nouvellement récolté qu'on fait sécher au soleil pour les provisions du voyage.

De tous côtés, les gens couraient pour rentrer chez eux, les animaux disparaissaient dans les trous des haies. Le souffle du vent s'arrêta. Plus rien que le bruit précipité des gouttes s'aplatissant sur la terre, le murmure des hautes cimes avec les notes basses des cocotiers et des roniers que bousculait la rafale;* plus rien qu'une vaste orchestration de la tourmente où se mêlaient les cris joyeux des bambins s'ébattant sous les torrents d'eau. La tornade s'était emparée de tout. Les choses tourbillonnaient comme une nébuleuse folle. A une petite distance, on ne pouvait plus rien distinguer. Il était impossible d'avancer si l'on ne se courbait pas en deux.

Oumar et sa femme dans leur chambre à coucher avaient tout fermé. Lui, obsédé par ses pensées, ne semblait pas être troublé par l'infernal sabbat qui se déroulait au-dehors, mais le regard de «Madame» trahissait de l'émerveillement et une certaine appréhension tandis qu'elle épiait le monde extérieur entre deux battants de la fenêtre.

- Pour de la pluie, cela va en être!
- J'ai peur, dit-elle.

Il se retourna pour la rassurer:

- Viens ici, car il y en a pour toute la journée et la nuit.
- Et il n'est que trois heures, soupira-t-elle.
- J'ai une idée, si l'on se douchait?
- Sous la pluie?
- Non. Sous le toit, dit-il moqueur.
- Chiche.

Dans une nudité familière, ils se donnèrent à la pluie en s'éclaboussant d'eau, semblables à des marmots. Leurs ébats durèrent un bon moment. Brusquement, «cela» traversa leur étroite sphère de vision, la déflagration fit trembler la maison, l'ouragan gifla les fenêtres, chercha à démanteler la maison, résonnant comme si on eût fait dévaler de quelque montagne des tonnes et des tonnes de minerai. Chaque choc était d'un tel poids que l'on ne comprenait pas qu'une substance aussi diaphane que l'eau pût receler une pareille force. Le vent s'élevait à d'énormes hauteurs pour se rabattre à terre de tout son élan. Oumar, sur le seuil de la porte, admirait le déchaînement de la nature. Isabelle ruisselante vint le rejoindre. Tandis qu'ils s'épongeaient, un coup de vent s'engouffra dans la maison et ébranla les murs. Faye poussa brutalement sa femme à l'intérieur et ferma la porte avec force. Alors le vent secoua la porte.

– Si la maison ne s'écroule pas, nous aurons de la chance!

Saccade par saccade, la rapidité de l'attaque allait croissant. Les coups contre les toits se faisaient plus forts et se répétaient à intervalles réguliers. Des doigts indiscrets, aussi fluides que l'éther et aussi durs que l'acier, cherchaient des fissures ou des fentes pour continuer la tâche entreprise et les transformer en larges brèches. Çà et là, le vent pénétrait sous les plaques de zinc et les arrachait comme fétus pour les rouler ensuite comme des feuilles de papier, qu'il rejetait avec fracas sur les arbres ou sur le sentier.

Puis vint la nuit, une nuit noire, peuplée de silhouettes agitées et de cris de frayeur, tandis que dans les ténèbres le vent s'acharnait à frapper de haut en bas. Le grondement du tonnerre suivant les éclairs était de plus en plus fort. La révolte des éléments rendait cette nuit hallucinante.

– Je n'ai jamais vu un pareil temps!

– Ce n'est rien, pas une vraie grande tempête.

– Oh! toi, tu exagères toujours!

La moustiquaire enveloppant le lit les cachait. Seule, la faible lueur d'une lampe à pétrole réduite au minimum éclairait la pièce. La fumée d'une cigarette s'échappait de la gaze.

– Passe-moi le mégot.

– Te rappelles-tu lorsque tu disais que la pluie en France n'est qu'un prélude à celle d'Afrique?

– Passe le mégot, répéta-t-il.

– Flûte! attends un peu, ou prends-en une.

– Il n'en reste plus.

– J'en ai dans mon sac, va en chercher.

– Ah, c'est là que tu les caches, hein!

– Voilà le mégot, voilà le mégot, brute, sauvage, cannibale.

La fin de la nuit fut indescriptible. La tempête régnait en souveraine; s'introduisant dans une case par la porte brisée, elle exerçait sa puissance jusqu'à ce que la toiture s'envolât comme une plume. Elle emportait tout, même les paillotes, ne laissant rien derrière elle que des pauvres malheureux sans abri, pour qui les heures se suivaient, lourdes et interminables.

Perçant l'orage, une faible clarté annonça l'aube. Une heure avant l'arrivée du jour se produisit l'accalmie; comme la phase première de l'ouragan, elle survint brusquement, sans signe précurseur. Le tumulte avait atteint son plein régime et tout à coup il semblait suspendu. Comme un souffle haletant, le vent s'aspira lui-même laissant à sa place un vide douloureux. L'eau se retira des endroits inondés. C'était le reflux. L'eau dévalait précipitamment vers le fleuve, à travers les habitations, sous les racines des grands arbres ou par-dessus les troncs qui gênaient sa course folle, emportant avec elle son lamentable butin d'épaves,.sous un rideau de brouillard.

Le flot courait à une vitesse incroyable; à sa surface flottaient des décombres de toutes sortes. Les fossés bordant les talus étaient devenus autant de lits de torrents écumants et tourbillonnants dans une débandade furieuse. Le fleuve, habituellement d'une teinte vert clair, était jaune foncé.

Le soleil remplaça la tempête, déjà les phalènes et les fourmis ailées volaient, pour la plus grande joie des enfants qui s'embourbaient dans la glaise molle. Les femmes étendaient le linge trempé par l'orage à ce qui restait des palissades.

Oumar, très tôt, avait déjà inspecté la demeure.

– Je croyais que l'ouragan t'avait emporté, je me voyais déjà veuve, dit Isabelle.

– Oh, la vache! Une bonne raclée ne te ferait pas de mal, comme ça, le matin.

Elle prépara le petit déjeuner. Tout en se restaurant, Faye dit:

– Maintenant, il faut que tu apprennes à rester ici. Autre chose, ne sors par sans coiffure. Et puis n'oublie pas d'écrire à ton père et de redresser les jeunes plantes.

– Oui, Monsieur Faye, répondit-elle, les coudes sur la table. Et toi n'oublie pas de rentrer à midi et d'apporter des cigarettes.

– Vraiment, tu bats les records! Il te faut mes chemises, mes pantalons, mes cigarettes, et puis quoi?

– Moi, je ne suis pas égoïste, tu peux mettre mes jupes!

Il lui tira ses longs cheveux en disant: «A tout à l'heure.»

Partout ce n'était que flaques d'eau, tas d'immondices éparpillées qui s'étendaient devant lui. Fayène était en partie détruit. Tout le monde était sur pied, à l'exception de l'oncle Amadou dont le mal avait empiré et qui, en gémissant, implorait la miséricorde divine. Oumar aida à redresser les clôtures, à arranger les toits.

– Fils, cela va chez toi? demanda sa mère, éjectant une longue traînée de crachat sur la terre mouillée.

– Bien, Je n'ai pas eu de dégâts.

– Et «Madame»?

– Bien aussi.

– Il y a longtemps que nous n'avions pas eu une telle pluie. Je te recommande de ne plus aller au bain. Dans mon sommeil, j'ai vu de mauvais esprits.

– Que veux-tu que j'y fasse, s'ils veulent se balader, tes esprits . . .

– Tu n'es pas un homme blanc.

– D'accord . . . – Il la regarda puis ajouta au bout d'un instant: – Mère, il me faut beaucoup d'argent.

– Pour quoi faire?

– Pour mon travail de paysan.

– Pourquoi veux-tu devenir cultivateur? Non seulement tu n'habites plus ici, mais maintenant tu veux labourer, c'est drôle.

– C'est pour toi, pour tout le monde.

– Si nous n'attendions que toi pour manger, nous crèverions de faim. Tu ne sais rien de la terre.

– C'est vrai, je ne sais rien de la terre, il me faudra apprendre.

– Ton père, le père de ton père, tous étaient des pêcheurs,

mais toi le toubab, tu veux la terre? Je n'y comprends rien.

- Ça c'est vrai!

- Dis à ta mère qu'elle ment! Tu es civilisé, toi, tu ne veux pas te salir à notre repas!

- Merci, mère, je ne veux plus de ton argent.

- Voilà, voilà, tu me traites de menteuse et ensuite tu te fâches; décidément, tout ce que je dis ne plaît pas à ton oreille. Parfois, je me demande si tu ne désires pas devenir blanc?

- A demain, mère, Je verrai mon père au marché; au moins, lui, il se contente de ne rien dire.

Il connaissait sa mère, il savait que pour obtenir quelque chose d'elle, il fallait d'abord la pousser à bout et puis laisser les mots de colère accrochés à ses lèvres.

Assise sur le mortier, elle le rappela:

- Oumar, reviens: j'aurais mieux fait de t'écraser à ta naissance. Si je le fais maintenant, les toubabs comme toi me mettront en prison. Combien veux-tu?

- Tout ce que tu as.

- Va-t'en, va-t'en, chien!

- L'argent n'a pas de racines, mais il pousse dans le cœur.

Il sortit, elle courut derrière lui, le rattrapa. Elle marchait à ses côtés, tandis qu'il feignait de ne pas la voir.

- Peut-être que je radote, dit-elle, c'est qu'entre le temps passé et le temps présent, ça ne fait pas une grosse différence; ne te fâche pas si je déraille. Pour moi, vois-tu, tu es resté mon petit garçon. Et lorsque tu étais à Tougueul et que je t'attendais, j'avais un poids du côté du cœur comme si je te portais encore dans mon ventre. Maintenant que tu es revenu je ne suis pas tranquille pour toi et ta femme. On raconte beaucoup de choses . . .

Silencieusement, il écoutait les paroles de sa mère en même temps que le frou-frou de son pagne. Elle continua:

- . . . Peut-être que mes plaintes sont sans raison, je me fais tellement de mauvais sang que ma tête est vide. Quand je te vois, comme maintenant, j'ai envie de te suivre, et quand tu disparais de ma vue, alors mon cœur s'arrête. Je ne pense plus et je ne peux plus rien faire. Je me dis: «S'il revenait pour te dire qu'il retourne au pays des toubabs pour toujours . . .» Ah, ce serait ma mort! Dieu sait que je ne hais pas ta «Madame», mais je t'en prie, si un jour elle voulait partir, laisse-la aller seule. Toi, n'abondonne pas ta vieille mère. Je n'en ai plus pour longtemps dans ce monde. Elle paraît gentille ta «Madame», cependant nous ne parlons pas le même langage. Me comprend-elle? Ah! ne retourne pas là-bas, n'abandonne pas ta vieille mère . . .

– Je ne partirai pas, mère, je te le promets.

– Je prie les anges et le grand prophète que cette idée ne germe pas dans ta tête. C'est que, mon petit, tu es mon seul et unique bien sur la terre.

– N'aie donc pas peur pour moi. Je n'exposerai jamais la honte sur ta tête, il ne faut pas prêter attention à ce qu'on raconte.

– Je suis contente de te l'entendre dire, dit-elle en lui prenant la main, comme lors de ses premiers pas. Viens, allons chez Papa Gomis.

Le vieux Gomis était leur homme de confiance. Tandis qu'ils pénétraient dans sa boutique, il vint à leur rencontre. Ils s'entendirent aisément. Dorénavant c'était là qu'Oumar devait venir en cas de besoin.

Faye se sépara de sa mère en lui promettant qu'il ne ferait rien de mal. Il alla faire le tour du marché, saluant par ici, par là, puis, sans but précis, il flâna le long du débarcadère. Trois bâtiments y avaient jeté l'ancre. Des femmes chargeaient l'un des trois bateaux qui se trouvait à l'extrémité du môle. Faye les regardait travailler. Ce spectacle n'était pas nouveau pour lui, depuis son enfance il voyait cela. Pourtant, il eut un pincement au cœur. C'était mal, c'était odieux que des femmes besognent de la sorte! Le fait que personne ne réagissait devant cet état de chose lui donnait une espèce de malaise. Il se savait responsable en partie de la somnolence du pays; lui non plus ne faisait rien.

Les femmes ne semblaient pas malheureuses; sous le poids des charges elles se suivaient en file indienne, les sacs d'arachides tendaient les muscles de leur cou. Les torses demi nus, devenus ternes, étaient noyés dans un ruissellement de sueur auquel venait s'ajouter une couche de poussière rouge qui formait un liséré autour des reins. Il y avait des jeunes filles au corps pur, des vieilles aux seins aplatis par le pagne. Elles passaient devant un homme assis, qui leur remettait un jeton pour chaque sac.

– Pourquoi n'embaucherais-tu pas des hommes? lui demanda Oumar.

L'homme leva la tête pour voir qui lui parlait. Sans répondre, il continua sa distribution. Faye prit place à ses côtés.

– Pourquoi? . . .

– Cela me regarde! dit-il en français d'un ton qui n'avait rien d'aimable . . . Après tout, qui es-tu?

– Qui suis-je? se demandait Oumar étonné. Je suis un homme comme toi. Tu a raison, rien de cela ne me regarde.

– Alors . . .

– Alors, je dis que tu serais mieux servi par des hommes que par ces femmes. Regarde cette fille, si ce n'est pas honteux; et cette vieille à la tête toute tondue, elle peut bien avoir l'âge de ta mère, bien qu'elle soit noire. Penses-tu que cela se fait en Syrie?*

– Sois poli si tu ne veux pas le regretter. D'abord je ne suis pas syrien.

– Tu es syrien comme je suis nègre, de la tête aux pieds. Entre nous, si je te parle ainsi, c'est aussi pour que tes affaires aillent mieux. Il n'y a pas longtemps que tu es arrivé de ton bled. Aucun Syrien ne fait ton métier, je les connais tous.

L'autre ne répondit pas. Il se contenta d'observer Faye, saisi par son langage à la fois calme et brutal. Oumar n'avait d'yeux que pour une fille qui menait le troupeau. Elle chantait à la manière des opprimés. L'existence leur avait appris à chanter, pour tromper la réalité. En chœur, ces femmes chantaient comme on étouffe un sanglot – pour ne pas sentir la fatigue. Elles chantaient comme au moment des excisions* et c'était une chanson qui n'exprimait pas la joie, mais la douleur; elle commençait la où elle finissait, car elle incarnait la misère . . . et leur misère ne finissait jamais.

Ne pouvant rester indéfiniment à la regarder, Oumar appela la jeune fille. Ils se parlèrent longuement. Le pointeur se fâcha.

– Écoute mon vieux, dit Faye, elle ne travaillera plus pour toi, voilà les jetons, ajouta-t-il énergiquement.

– Elle s'en va? Bon, elle ne sera pas payée tant que le bateau n'appareillera pas.

– J'attendrai jusqu'à ce soir.

Les femmes s'étaient rassemblées autour d'eux et ouvraient de grands yeux. A ce moment, un homme s'approcha et s'informa de cet arrêt et de ses causes:

– Pourquoi les négresses ne veulent-elles plus travailler?

– Voilà, commandant, c'est ce type qui m'a pris la meilleure d'entre elles.

– Viens ici, toi, dit le commandant s'adressant à Faye. Bosco, apporte-moi la chicotte, il verra qui est-ce qui commande ici!

Faye ne se doutait pas qu'on allait le frapper; armé de sa cravache, le commandant s'avança vers lui.

– Pourquoi as-tu arrêté mon travail?

– C'est pour me parler que tu as ta queue de chat?

– Tiens, tu parles français? . . . Venez voir, il y a un nègre qui parle comme nous . . . Regardez-moi ce bougnoul . . .

Et il le fouetta au visage.

Faye porta les deux mains à sa face, là où la lanière l'avait mordu. Il reçut encore un coup sur le dos, suivi d'un coup de pied. L'équipage riait à belles dents. Le commandant retourna vers les dockers qui se pressèrent de reprendre leur charge.

– Maintenant, vous autres, si je ne suis pas prêt aujourd'hui, personne ne sera payé. Quant à toi, singe échappé du zoo, que je ne te revoie plus ici . . .

Mais il n'eut pas le temps de finir sa phrase: deux mains le saisissaient au collet. Il devint livide. Faye l'envoya rouler sur les planches. A peine fut-il debout qu'un poing s'abattit sur sa nuque et un pied sur son visage. Le sang gicla. La populace recula sur le wharf, le blanc ensanglanté leur faisait peur. Les hommes du bord arrivèrent au secours de leur maître et Faye recula. Sur le wharf, il y avait une cabine, il s'y appuya. La rampe de bois qui y était fixée, céda, il s'en saisit et le premier des attaquants la reçut sur les bras.

– Tuez ce nègre, hurlait le commandant couvert de sang.

Mais lui n'osait plus avancer. La façon dont Faye tenait la barre prouvait qu'il saurait s'en servir. Un autre matelot plus vigoureux tenta sa chance. Il chargea. Faye l'esquiva avec maîtrise, tout en évitant de présenter le dos à la meute. Il assena un coup sur l'épaule gauche de son adversaire qui perdit l'équilibre; il renouvela le coup sur l'épaule droite, alors l'homme s'affala de tout son long. Oumar, victorieusement, posa son pied chaussé de broduquin – à cause de la pluie de la veille – sur la tête de l'homme allongé. Des cris et des hourras s'élevèrent de la foule amassée au bord de l'eau.

– Jette ton bâton, sinon je te descends, ordonna le commandant qui s'était fait apporter un revolver . . . Jette ça . . .

A la vue de l'arme, les curieux s'étaient tus. On entendait les carpes qui, sous la cabine, happaient les ordures entraînées par le courant. Un silence mortel s'était abattu sur le quai. Les yeux de Faye, injectés de sang, devinrent d'un rouge effrayant, les veines de son front et de ses tempes se gonflèrent. Tout cela n'avait duré qu'une seconde. Le coup partit, la balle frôla sa cuisse. Alors ce ne fut plus une bagarre mais un massacre: l'arme et son propriétaire étaient dans l'eau, les hommes de l'équipage fuyaient vers le bateau, tandis que les indigènes leur criaient les injures les plus grossières de leur langue. Oumar, lui, les poursuivait, massue levée. Il n'entendait plus, il ne pensait plus, il ne savait même plus pourquoi il frappait de la sorte. Il suait et le sang qui coulait de sa blessure se mêlait à sa sueur. L'équipage revint armé de bâtons et le combat reprit. De ses bras démesurés, le noir brandissait la massue au-dessus des têtes en larges moulinets. Comme il se sentait faiblir, il entendit un bruit de course: le commissaire, prévenu au marché, arrivait avec ses miliciens. Il cria:

- Arrêtez les tous et suivez-moi! Allez, ouste, au commissariat!

Mais le capitaine du bateau, encore tout trempé et saignant, refusa:

- Il faut mettre en prison ce macaque, il nous a cherché dispute. Je me demande pourquoi on les instruit, ces sauvages!

- Mets-moi en prison, cochon gratté! lui hurla Faye à la figure.

- Assez! cria le représentant de l'ordre.

- Qu'y a-t-il? questionna Gomis fils, arrivant essoufflé. Qu'est-il arrivé?

- Rien, c'est fini, répondit Faye.

- Tu saignes, vieux, et c'est rien?

- Ne te mêle pas de ça, toi, dit le commissaire.

- Je ne te demande rien, répliqua Gomis.

- Je pars ce soir pour Kaolack, dit le capitaine. Mettez-le en prison jusqu'à mon retour, pour deux mois.

- Tu crois ça? Le temps où l'on mettait les nègres en prison sans justice est périmé, s'exclama Gomis à nouveau.

- Assez, Gomis, et réfléchis à ce que tu dis! hurla le commissaire qui commençait à perdre patience.

- Ça va, Gomis, dit Faye.

Et se tournant vers le représentant de l'ordre:

- Il me semble que ces Messieurs ne sont pas décidés. Je vais me faire soigner, et ils feront ce qu'ils voudront.

L'équipage, se rendant compte que les noirs ne se soumettraient pas à la seule présence du commissaire, regagna le bateau.

- Tu deviens un danger pour la sécurité publique, Faye. La prochaine fois, tu peux être sûr que je te mettrai en prison.

- Sécurité publique! . . . voilà un joli mot ici, répliqua Oumar.

Gomis et Faye se frayèrent un passage dans la foule et des

mains se tendirent vers Oumar en signe de reconnaissance. La jeune fille les suivait.

- Dire que c'est à cause d'elle que j'ai failli y rester, dit Faye. - Et il ajouta: - Monte avec nous.

Le vieux tacot de Gomis les déposa à la Palmeraie. En cours de route, Oumar s'était évanoui. On envoya quérir le médecin africain qui vint accompagné de Joseph. La nouvelle s'étant vite répandue dans tous les quartiers, la vieille Rokhaya arriva sur les pas des deux hommes. Elle n'était pas très contente de voir son «petit» soigné par les «doctors» et Gomis dut rétablir la situation en lui expliquant qu'il n'avait pas pu agir autrement. Isabelle, ne sachant que dire, la fit monter dans la chambre. Faye dormait. Sur les peaux de bêtes, les traces de sang étaient encore toutes fraîches.

- Ce n'est rien de grave. Il lui faut du repos. Il a perdu du sang, mais nous lui en avons administré une bonne quantité. Je passerai demain, dit Agbo. Empêchez-le de boire de l'eau trop souvent, faites-lui plutôt prendre du bouillon de poulet . . . Au revoir, Madame.

- Merci, Docteur, au revoir, Docteur Joseph, et merci encore.

Près du lit la mère se penchait sur son fils. Elle prit le bras qui sortait des couvertures et voulut voir le pansement.

- Non, Maman, dit Isabelle en arrêtant son bras.

- Malatte beaucoup?*

- Fatigué seulement, trois jours fini.

Pendant tout le temps qu'Oumar dut garder le lit, la maison fut parfaitement calme.

Cet après-midi-là, Oumar et Isabelle étaient sur leur véranda. Lui, dans le rocking-chair, se balançait lentement; tout en caressant la tête d'Isabelle appuyée sur son épaule, ses mains suivaient le mouvement des deux nattes qui divisaient la longue et souple chevelure.

Une voix les surprit dans leur intimité.

- Je vois qu'on n'a plus guère besoin de mes services.

– Bonjour, Docteur.

– Bonjour à tous.

Agbo remit une feuille de tabac à la vieille Rokhaya assise à l'écart, puis il revint vers Faye:

– Peut-on voir cette plaie? Bien. Elle se cicatrise. D'ici deux jours tu pourras labourer. Puis-je vous faire une confidence?

– ???

– C'est la première fois que j'ai un client en dehors de l'hôpital.

– Je ne vous souhaite pas d'en avoir d'autres, du moins ici.

– A l'école, je rêvais toujours d'avoir un cabinet de consultations.

– Il ne faut pas désespérer, Agbo.

– S'ils sont tous comme Maman Rokhaya, adieu la profession! . . .

– Je vous salue, Peuple de la Casamance!

Cette exclamation joyeuse venait de Diagne entrant à l'improviste, accompagné de M'Boup, Dieng et Thiam.

– Tiens! Voici le fou! Hier il est allé voir un film sur Rome l'antique, toute la semaine il sera romain, mais après un film de cow-boys, il sera cow-boy, puis il jouera au dur . . .

En riant les jeunes gens aidèrent à sortir les tables et les chaises. La jeune fille noire que Faye avait amenée à la Palmeraie leur servit à boire. Elle s'appelait Itylima et «Madame» l'avait habillée d'une jupe et d'un chemisier mauve.

– Mon frère, la prochaine fois que tu voudras te bagarrer, fais-le-moi savoir. A nous deux . . .

– Non, Diagne, c'est fini, n'en parlons plus. Ce n'était qu'un accident.

– Enfin te voilà devenu le défenseur des faibles et des opprimés. Pas plus tard qu'hier, une fille m'a demandé de tes nouvelles.

– Comment voulez-vous que l'Afrique secoue sa somnolence avec des types comme Diagne? dit Agbo. Au lieu d'essayer de compléter leur instruction, ils passent les soirées à chercher de nouvelles victimes pour leur couche.

Diagne, au milieu de son «état-major», les coudes sur la table, pensif cette fois, répondit:

– S'instruire, pour quoi faire? On nous traite en indésirables. Combien y a-t-il de bacheliers en chômage entre Dakar, Saint-Louis et Rufisque? Je sais lire et écrire, pour le reste je m'en fous, j'ai passé le stade d'apprendre.

– Tu as passé le stade de quoi, Diagne? demanda le maître d'école arrivant avec une pile de livres sous le bras. Voilà vos livres, Madame.

– Merci, Seck.

– Puis-je en prendre d'autres?

– Bien sûr!

A ce moment Gomis arriva dans sa camionnette avec Joseph.

– Salut à tous. Voilà pour ta femme, Faye, c'est de la part de ma mère. Père ne peut pas venir te voir, il me charge de te transmettre ses salutations.

– Décidément, je suis gâtée, dit Isabelle. La mère d'Itylima m'envoie une poule tous les trois jours.

– Au cercle, il n'est question que de vous . . . pour une bagarre, c'était une bagarre.

– Je regrette de ne pas y avoir participé, reprit Diagne. Aujourd'hui, Désirée m'a demandé de tes nouvelles; auparavant cette fille ne m'adressait jamais la parole.

– Pour une fois qu'il y en a une qui te tient tête. Je suis bien contente . . .

C'était Agnès qui, arrivant essoufflée, s'assit à même le sol:

– Quelle idée vous a pris de venir loger dans cette brousse!

– Je ne pensais pas que tu viendrais me rendre visite, répondit Oumar en riant.

– Je ne parle pas à un bagarreur. Je suis venue voir Isabelle.

– Alors, va à la cuisine.

– Ah non! Je reste ici. Bonjour, Maman Rokhaya.

Toujours avec sa bouffarde, ajouta-t-elle en français.

Dans leurs discussions, ils employaient les idiomes les plus divers: diola, portugais, ouolof, français.

Reprenant une phrase laissée en suspens, Agbo enchaîna:

– . . . Ici toutes les initiatives sont laissées aux autres, à ceux qui contrôlent notre évolution . . . Les nègres ne font que dresser des barrières entre eux, entre les instruits et les illettrés. Les derniers considèrent les premiers comme des renégats, et ceux-ci les regardent de haut avec des airs dédaigneux. Pourtant, ils ne sont qu'aux portes de la connaissance et se contentent des miettes d'instruction qu'ils ramassent. Ceux qui retardent le plus ce sont les adeptes de Mohammed . . .

– Ne dites pas cela, Docteur, vous voulez aller trop vite en besogne.* Nous qui sommes entre les deux Afriques, il nous appartient d'apprendre des vieux leur savoir du passé et des jeunes ce qu'ils attendent de nous, bien que, pour le moment, nos connaissances soient inférieures à nos désirs. En ce qui me concerne, un blanc et un noir seraient atteints d'un même mal que je les soignerais de la même façon, bien entendu . . . Mais ce que je ne comprends pas, c'est que, chez vous, il n'y a aucune envie de former une nation.

C'était Joseph, le jeune médecin blanc, qui parlait maintenant.

– C'est bien vrai, confrère, ce que tu viens de dire, répondit Agbo. Je serai toujours de ceux qui refusent de reconnaître que notre pays est une propriété achetée par les pays d'Europe; du fait que nous ne nous soucions pas de notre valeur réelle, ni de celle de l'Afrique, cela ne veut pas dire . . .

– Il n'y a que vous qui puissiez manifester cette valeur. Si vous vous sous-estimez, c'est que l'Afrique n'est point à vous! Tandis que mes pères et mères – les toubabs, comme vous dites – disent: «Nos colonies», vous, que dites-vous?

– Moi qui ne suis des vôtres que par alliance, j'étouffe parfois, dit Isabelle qui apportait la cafetière d'où s'exhalait un agréable arôme.

Elle remplit les tasses, avec un clin d'œil vers Oumar, car celui-ci n'aimait pas beaucoup que sa femme prît part à ce genre de discussion.

– Alors, si je comprends bien, nous devons tous retourner sur les bancs de l'école? Je refuse d'avance, dit Diagne.

– Diagne, je me suis toujours demandé si le docteur n'avait pas raison en disant que tu es un parfait imbécile, dit calmement le maître d'école.

Et il ajouta:

– Ce café est très bon, Madame.

– Merci, Seck, vous êtes le seul à m'en féliciter.

– Agbo n'a jamais dit que j'étais un imbécile. Que je sois un peu fou, je l'admets, mais . . .

– Changez de disque, c'est monotone, répliqua Agnès.

– Je l'ai toujours dit: les femelles ne devraient jamais aller à l'école.

– Diagne, les «femelles» te disent merde . . . Quand j'entends parler des individus comme toi . . . Non! Je ne sais qu'une chose: sous prétexte de ne pas envoyer vos filles en classe, vous les gardez pour avoir chacun trois ou quatre femmes. Vous savez très bien que lorsqu'elles ont acquis le moindre bagage intellectuel, il vous est impossible de les faire entrer dans la ronde de la polygamie.

Agnès parlait lentement, détachant chaque syllabe, afin que l'auditoire pût l'entendre et saisir exactement ce qu'elle disait.

– La polygamie a existé dans toutes les nations. Mais vous, tant que vous ne considérerez pas la femme comme un être humain et non comme un instrument de vos viles passions, vous piétinerez. Les femmes constituent la majeure partie du peuple. Il n'y a pas de plus puissant obstacle que la polygamie en ce qui concerne l'évolution. Tout ce que vous venez de dire n'est que vains mots.

Lorsqu'elle eut fini de parler, ils ne savaient pas s'ils devaient la féliciter ou non pour la brutalité des termes qu'elle avait employés. Elle jouait avec ses doigts, la tête inclinée. Depuis qu'ils la connaissaient, elle n'avait jamais tenu de tels propos. Il y eut un silence surpris.

– Merci, Agnès, de défendre les femmes.

– Elle nous dépasse, la fille. Pour cela, Seck, viens l'embrasser. Bien que je sois musulman, je suis de son avis. On voit des vieux de soixante ans se marier avec des jeunes filles qui ont l'âge de leur petite-fille.

– Il y a une chose que je voudrais bien savoir, Faye, mais c'est une question assez délicate à poser . . ., dit Agbo.

Il hésita, observant Isabelle un peu gênée par ce silence. Faye arrêta le balancement de son fauteuil, attendant la question. Le soleil déclinait vers le couchant. La vieille Rokhaya se grattait le mollet droit, ses ongles dessinant des traces blanchâtres sur la peau sombre.

– . . . Je demande l'opinion des . . .

Sans pouvoir continuer, il se ressaisit, changea de position, Les deux cicatrices démontraient par leur rétrécissement qu'il était confus. Ne pouvant plus se reprendre, il continua et dit:

– . . . des Européens sur nous?

– Tu étais embarrassé à cause de ma femme? . . . Ne t'en fais pas, elle en a entendu d'autres. Il m'est très difficile de parler sur un plan d'ensemble; néanmoins, d'après mon point de vue personnel, je peux te dire ce que j'en sais. Les plus pernicieux sont les colons; ils disent: «Il n'y a rien à tirer de ces nègres qui sont tous des fainéants, des voleurs. Pour les faire travailler, il n'y a rien de tel que la chicotte. Ils prétendent que leur vie ici est un enfer. Ils se prennent pour des héros . . .»

Oumar avait repris son balancement, suivant des yeux un oiseau qui tournoyait au-dessus du marigot.

– . . . Parfois, quelqu'un te demande: «Où as-tu appris le français? Comment fais-tu pour le parler?» Tout de suite, il pense que c'est la civilisation des blancs qui a fait de toi une personne capable de réagir, de voir et même de sentir, alors ils te considèrent comme leur œuvre. D'autres te demandent: «Es-tu habitué a notre cuisine? Notre façon de s'habiller ne te gêne pas quand tu marches?» Lorsqu'il fait chaud, ils disent:

«Ne te plains pas, tu es d'un pays chaud; ta peau te rend insensible à la chaleur . . . Comment vit-on chez toi?» Il y en a aussi qui se marrent à la vue d'un nègre: quand un noir leur parle, ils battent des cils comme si les mots leur tombaient du firmament. Dans les salles de spectacles, il y en a qui changent de place, car la présence d'un sac de charbon les compromet et, en partant, leur regard te fait comprendre ce qu'ils n'osent pas exprimer; c'est pareil dans le bus ou le métro . . .

– Moi, je leur foutrais mon poing sur la gueule.*

– Non, Diagne, qui court après un âne pour lui administrer un coup de pied est aussi âne que l'âne, intervint Seck.

– Seck a raison, reprit Oumar. Voyez-vous, nos compatriotes en Europe reçoivent l'humiliation avec mépris, sans broncher. Il y en a d'autres aussi qui vous accueillent chez eux avec une hypocrisie remarquable, en annonçant à leurs voisins: «Aujourd'hui, je reçois mon noir ou mon nègre.» Ils te comblent de politesses et puis te parlent de l'ignorance de tes frères soumis à l'esclavage, ou de la façon dont les Américains traitent les noirs là-bas. Devant eux, il ne te reste plus qu'à t'enfouir sous terre . . . Il y a une minorité qui efface tout ce mal que je viens de vous décrire. Ce sont ceux qui te convient, comme un ami de la famille . . . Les métropolitains ont mis trois siècles pour faire ce qu'ils ont fait chez eux. J'ai la certitude qu'à nous, il nous faudrait cinquante ans pour les dépasser.

– Je ne vous contredis pas, Monsieur Faye, et je suis affligé que ceux de ma race agissent de la sorte, mais ce racisme, c'est plutôt de l'ignorance.

– Mais non, Docteur Joseph. Voyez-vous, le noir aussi est raciste. Mais à sa manière.

– Il ne faut pas aimer une cité pour y vivre, mais attendre que les habitants t'aiment pour t'y installer, philosopha l'instituteur assis entre Agnès et Isabella.

– Malgré tout ce que vous pouvez dire, j'aimerais visiter l'Europe, aller à Paris, à Rome, soupira Agnès.

- Décidément, la sœur, tu es têtue.
- Agnès, nous irons ensemble, dit gentiment Isabelle.
- C'est vrai? Tu t'en retourneras?
- Il faut bien que, de temps à autre, je voie mes parents.
- Pars donc ce soir, dit Oumar, moqueur.

La fraîcheur du soir disait la saison des pluies. La brume cachait la cime des arbres. Les amis se séparèrent.

2

Le soleil couvrait toute la plaine qu'ils traversaient. Puis ils entrèrent dans une forêt, dont les arbres espacés formaient au-dessus d'eux une voûte qui laissait filtrer une lumière aussi verte que les feuilles. Ensuite, ce fut la savane, immense; les arbres géants s'étaient changés en arbustes de toutes couleurs. La chaleur se faisait lourdement sentir. Itylima, tenant ses chaussures à la main, ouvrait la marche. Ses pieds nus touchaient à peine le sol. Telles des larmes, les gouttes de sueur descendaient de sa nuque entre la rude étoffe de coton et la peau. Elle se retournait pour voir si l'homme la suivait; lui, coiffé d'un chapeau, s'épongeait le visage et le cou, sa chemise collait à son torse. Avec son fusil en bandoulière, Faye avait l'air d'un chasseur; ses bottes couvertes de boue emportaient avec elles les feuilles mortes qui jonchaient le sol.

Ils suivaient le même sentier qui serpentait entre les manguiers aux fruits verts auxquels succédaient les citronniers sauvages à l'arôme enivrant. La jeune fille accéléra son allure. Un essaim de mouches voltigeait devant elle. Elle brisa une branche et se mit à les chasser avec colère. Oumar, de son chapeau, en fit autant. Maintenant ils côtoyaient un lac, sous l'ombrage des grands arbres. A première vue, on prenait cette eau pour une nappe solide, endormie et inoffensive. On aurait même pu croire que, selon la légende, un enfant serait en mesure de la traverser en rampant sans se mouiller les genoux. Mais il suffisait d'une averse pour remplir son lit et le faire se déverser dans la plaine. Alors l'eau bouillonnait, creusant la terre avec tumulte, charriant la boue jaune, bousculant les troncs trop audacieux dressés sur son passage, les renversant et les emportant. Malgré cette tranquillité sommeillante, les personnes âgées évitaient ce lac.

Puis ils arrivèrent sur un terrain parsemé de roniers semblables à des barreaux. Un étranger se serait cru prisonnier. Les longs fûts s'élevaient comme des colonnades à l'extrémité desquelles s'éventaient de grandes feuilles. Des corbeaux apeurés s'envolaient par légions.

Faye tout en marchant essuyait son visage. Itylima avait ralenti, pensant que l'homme était fatigué, car, pour elle, Oumar n'avait pas l'habitude de la marche. Des piverts martelaient de leur bec les arbres morts. Des oiseaux qui se confondaient avec les troncs gazouillaient gaiement. Des lézards s'agrippaient aux écorces, dressant leur petite tête mobile.

Après un long détour, le paysage, comme par enchantement, tourna au vert foncé.

Une armée de palmiers nains défilait. Les cimes étaient semblables à un gazon devant un château. Un vent faible agitait les palmes, réglait leurs mouvements comme dans une valse sans orchestre. L'enchevêtrement était si touffu que l'œil ne pouvait y pénétrer. Vus de bas, on avait l'impression que les rameaux partaient d'un point commun, comme s'ils avaient été ligotés. Les plus courageux des natifs de la contrée ne franchissaient cet endroit qu'avec appréhension, car on n'était pas sûr de retrouver son chemin, et il y faisait froid. De plus l'humidité attirait les serpents. C'était le sanctuaire des singes. Il y avait une légende qui voulait qu'on ne prenne pas de bois dans ce lieu, sinon le prochain nouveau-né de la famille serait infirme. Mais en réalité, c'est là que demeurait le *Firandou* (grand fétichiste en diola) dont la domination sur les esprits s'étendait de la source du fleuve à la grande eau.

Sur l'ensemble régnait un silence serein. Guidé par la fille qui jouait des coudes et des bras pour éviter d'accrocher sa robe,* Faye suivait docilement. Elle se glissait, se tordait, levant les branches feuillues, s'enfonçant dans cet univers glacial. Elle évitait les épines, marchant légèrement sur la pointe des pieds. Oumar avait insisté pour qu'elle remît ses chaussures. Quelques pas plus loin, elle les enlevait à nouveau et finalement, ce fut lui qui céda.

A la lisière de cet enchevêtrement, à l'embranchement de deux sentes, là où des pieds avaient longuement foulé le sol et où l'herbe ne poussait plus, ils firent une halte. Oumar partagea ses provisions avec sa compagne. Il était assis sur un gros tronc abattu, elle s'était installée à l'autre bout. Son regard furetait partout comme celui d'un animal à l'affût. Ses yeux noirs trahissaient une crainte.

Brusquement, un lapin tout blanc surgit du taillis et se planta au milieu du sentier. Elle sursauta en criant. D'un réflexe rapide. Faye épaula son arme, le doigt sur la gâchette. Il eut le temps de voir ce que c'était. Il se rassit, regardant l'animal. Itylima tremblait de tous ses membres, fixant le lapin - qui d'ailleurs en faisait autant. La bête fit un bond, pointa ses longues oreilles, remua légèrement la tête puis l'inclina vers le sol. Tous deux s'observaient. Puis le petit bout de fourrure se détourna, se déplaçant par bonds légers. Ce manège plut agréablement à l'homme qui se divertissait aux dépens de la pauvre fille qui claquait des dents.

- Allez, ouste! fit Oumar levant le bras pour chasser l'animal.

La nuit était presque venue quand ils arrivèrent au village qui était celui d'Itylima. Des petits sentiers séparaient les palissades. Les toits des paillotes se touchaient presque. Des gosses nus, au ventre bedonnant, couraient çà et là. Un chien maladif aboyait, trottant sur des pattes qui se dérobaient à chacun de ses pas. Les villageois accroupis saluaient les arrivants à leur passage. Une vieille les reçut à l'entrée d'un défilé entre les cases et les mena dans un appentis de branchages.

C'était là que demeurait la mère d'Itylima. Une unique pièce, qui servait de salle commune et de cuisine durant les heures de pluie. Une bûche se consumait au centre, la fumée piquait les yeux. Habitué à la demi-obscurité, Faye pouvait apercevoir des *canaris* (1) de toutes dimensions, des calebasses en désordre encombrant la pièce, une natte sur une petite élévation de terre battue paraissait servir de lit. Faye s'assit sur un cul de mortier, près du lit. Le dépôt de fumée sur les lattes de la toiture semblait une épaisse couche de peinture.

La mère d'Itylima était une femme prématurément vieillie et dont le dur travail des rizières et la collecte du sel dans les marécages avaient buriné le corps. Oumar voyait la vieille distinctement. Des rides profondes sillonnaient sa figure. Elle n'avait qu'un pagne, criblé de trous, rapiécé. Ses seins étaient tout ratatinés; lorsqu'elle parlait, ils se dilataient, puis se remettaient à pendre comme des petites outres vides. Elle parlait diola avec l'étranger. Sa bouche n'avait plus de dents, ce qui lui donnait l'aspect d'un gouffre dont les rebords se seraient écroulés. Elle n'avait rien, mais insista pour que Faye fût son hôte. Pendant qu'il s'expliquait avec sa mère, Itylima avait disparu; elle revint avec un homme à la démarche lourde, au cou épais. Les deux hommes se serrèrent la main; c'était le futur mari de la fille. D'une naïveté enfantine, il riait sans arrêt en montrant des dents taillées en pointes. Son visage était plus noir que la norme.

Après le repas, l'homme offrit de partager son lit avec Oumar. Sa case se trouvait de l'autre côté du village. L'odeur qui émanait de son corps empêchait Faye de dormir. La lune, éclairant la terre endormie, laissait filtrer ses rayons à travers la paille mal entretenue du toit et dessinait des lignes symétriques sur le corps de l'homme.

(1) Jarres au col évasé.

Dans la demi-clarté, Oumar inspectait du regard les parois au long desquelles étaient accrochées des grappes calcinées de maïs, des cornes de tous gabarits, des queues d'animaux; le lit, composé de lattes liées par des lanières, était posé sur quatre pieux fourchus, enfoncés dans le sol. Des peaux séchées servaient de matelas et de couvertures. Dans un coin, des brindilles clôturaient des récipients en terre cuite. Après cette inspection, Oumar chercha en vain le sommeil. Il se disait: «Si un jour nous arrivons à sortir de cette ignorance, nous rirons de nous-mêmes. Pour le moment, il n'y a rien à faire. Mais devant la famine, nous comprendrons.» Puis il pensa à Isabelle, se demandant ce qu'elle pouvait faire seule en ce moment. Elle ne risquait rien. «Si seulement j'avais eu l'idée de dire à ma mère que je m'absentais pour deux jours?»

Pendant que ses pensées vagabondaient, le sommeil lui rendit visite.

Le lendemain, il fut conduit devant Sa Majesté. C'était un homme qui devait vivre perpétuellement assis. Ses reins étaient cachés par la masse de chair qui débordait de chaque flanc; pour comble d'horreur, son cou disparaissait entre une tête minuscule et un ventre énorme orné en son milieu d'une hernie ombilicale. A bien le regarder, Oumar se demandait si cet homme était en mesure de réfléchir. Il était installé sur une chaise sculptée avec simplicité. Un pagne, enfoui dans ses bourrelets, cachait sa nudité. A deux on trois pas de lui, un valet, éventail en main, balayait sa face monstrueuse. Deux hommes très maigres se tenaient debout à ses côtés.

Faye s'était arrêté à distance, les mains sur le canon du fusil, la crosse reposant à terre. Il se dit: «Ce roi d'échiquier n'est bon que pour fournir de la viande à la boucherie. Il prend son rôle au sérieux. Quand comprendra-t-il qu'il n'est qu'un santon? Un pantin pas même articulé . . . Oui, il faudra bien qu'un jour ces épaves disparaissent.» Puis, comme pour s'excuser de cette pensée, il se dit encore: «Pourtant, il est de mon peuple.»

– Pourquoi veux-tu voir notre vénéré roi, fils de l'homme des eaux? demanda l'homme de droite.

– Je veux des rizières et je payerai bien ceux qui travailleront pour moi.

– Cela peut être vrai, mais tu as hérité des eaux, que veux-tu à la terre?

– Est-ce pour cela que tu as cet engin belliqueux? demanda celui de gauche d'un ton hargneux.

Il était complètement décharné, son corps était entortillé dans des bandes d'étoffe qu'il retenait d'un bras, mais qui laissaient voir sa maigreur. Cet homme avait un air peu rassurant. Le sommet de son crâne était nu. On ne savait exactement où commençait sa figure. Il ne devait pas beaucoup rire. Insolemment, il toisa Faye avant de dire d'un ton très désagréable:

– Parle, nous t'écoutons. A quoi te sert ton arme?

Et il fit quelques pas vers le visiteur, tendant son bras qui ressemblait à une aile de poulet déplumé.

– Je voudrais des hommes et des rizières, répondit Faye; et en français il ajouta: «espèce d'imbécile», ce que le conseiller du roi ne comprit pas.

– Cet homme porte malheur, cria-t-il au roi.

«Voilà que cet avorton rachitique veut me jouer des tours? Il est important que j'obtienne satisfaction», pensa Oumar. Et tout haut cette fois, il reprit:

– Tu mélanges tout, homme de sagesse; mon fusil n'a rien à voir avec ce dont j'ai besoin.

Le conseiller gémit et, pour se donner une contenance, tripota sa barbe blanche, divisée en deux – signe que dans son enfance il bavait énormément – du moins c'est ce que pensa Oumar . . . Il éparpilla les poils, les réunit, les serra dans sa main, les lâcha, puis les caressa et les hérissa. Oumar suivait toute cette comédie. Ce manège était accompagné par d'extraordinaires mouvements de l'œil gauche qui était plus grand que l'autre: il le roulait, le montait, le descendait et le fermait, sans que le droit bougeât. C'était pour impressionner l'assistance. Et toute la force de cet être, mi-humain, mi-diabolique, se trouvait rassemblée dans son visage. On le craignait dans le village. Oumar pressentit un échec. Il se mit à le détester. Son sang affluait dans les veines de son front.

Ce que Faye n'avait pas remarqué, c'est que le monarque n'avait d'yeux que pour la crosse en nacre blanc. Il se décida à livrer combat:

- Honorable Roi, je suis de ce pays, ma mère et mon père sont connus par les vieillards à cheveux blancs d'ici. Il faut savoir reconnaître un ami d'un ennemi. Je ne suis pas venu pour des futilités et je ne veux pas te déranger pour rien. Je n'ai pas un œil plus long que l'autre. Je veux seulement que tu m'aides.

- Hum! Il porte malheur, je le vois sur son front.

- Prouve-nous que je porte malheur en mettant ta main au feu. Si elle ne se brûle pas, je retourne ce soir chez moi . . . Réponds, homme plein de savoir?

- Des rizières, tu n'en auras pas. Tu ferais mieux de repartir.

«Merde, il faut que je le fasse taire», se dit Faye en français.

- Honorable Roi, répéta-t-il, je t'écoute, car je dois rentrer la nuit prochaine.

- La nuit prochaine! hurla le conseiller.

Un corbeau passa au-dessus d'eux en croassant. Faye épaula, visa l'oiseau et le laissa s'éloigner; quand il le jugea à bonne distance, il tira. Ils le virent tous tomber en tournoyant. Le tireur reprit sa position.

- Sache que j'ai passé quatre années à tuer des hommes. Je ne rate jamais deux fois et ce fusil ne se recharge pas . . . «tu comprends, tête de lard!»

Le roi, impressionné, se tourna avec peine vers le conseiller de droite. D'une grande enjambée, celui de gauche vint se joindre à eux. Ils discutèrent un instant, puis le roi s'adressa à l'étranger:

- Bon, tu auras ce que tu veux, à la condition que tu me donnes ce fusil.

- Il est à ma femme, bon Roi, mais à mon retour, dans

trois jours, je t'en apporterai un autre.

- Non, c'est celui-là que je veux.

Il accompagnait ses mots de gestes désordonnés.

- Il m'est impossible de te satisfaire, honorable Roi.

- S'il est à ta femme, il est à toi.

- En partie . . .

- Pourquoi, c'est ta femme qui commande chez toi? Les femmes blanches commandent à leur mari?

Pour cette phrase, Oumar l'aurait tué. Mais Itylima surgit à temps.

- Tu es intransigeant, fils de pêcheur, dit celui qui n'avait pas encore pris la parole.

- Pour être agréable, je ne donne pas ce qui ne m'appartient pas.

La jeune fille sauva la situation en jurant sur son pucelage que l'autre fusil était identique à celui-ci.

Oumar séjourna deux nuits au village pour organiser le travail.

3

Assise sur le perron, Isabelle se balançait sur sa chaise, un panier à ouvrage sur les genoux. A terre, près d'elle, deux livres. Elle regardait au loin, vers la porte d'entrée du jardin près de laquelle s'entassaient des objets hétéroclites. Les maraîchers déposaient là leurs bagages; des gourdes, des dames-jeannes, il y avait aussi des outils pour l'émondage des arbres. Oumar avait expliqué à Isabelle pourquoi ils agissaient de la sorte. Un matin, elle avait même surpris une femme avec son enfant couchés à la belle étoile devant la porte. Elle en avait été stupéfaite. Oumar avait beau essayer de lui faire comprendre les conceptions des gens de son peuple; elle allait d'étonnements en étonnements: comment pouvait-on ainsi disposer de la maison de quelqu'un sans l'avoir consulté?

Tout en raccommodant, elle voyait les gens entrer et sortir; chacun prenait son bien; une passante tirait de l'eau du puits, son bébé à califourchon sur son dos. Isabelle réfléchissait à cette vie, nouvelle pour elle, et emmagasinait ses observations. Elle respira à pleins poumons le parfum des arbres mêlé à celui des nénuphars qu'apportait une faible brise. Des oiseaux chantaient joyeusement. Le bruit des canards dans les roseaux attira son attention. Ils évoluaient avec grâce sur le marigot, partaient, revenaient, tournaient, plongeaient la tête dans l'eau, tandis que les palmiers reflétaient leurs ombres mouvantes. Des hirondelles avaient bâti sur le rebord du toit un nid d'où s'échappaient d'incessants gazouillis.

Voilà deux jours que Faye était absent. Personne n'était venu la voir. Elle ne craignait pas la solitude, mais elle ne l'aimait pas. Pendant ces deux jours, elle s'était occupée du poulailler et du potager. Elle avait descendu le ruisseau pour voir la nasse. Il y avait une prise, mais ne sachant qu'en faire, elle l'avait donnée à un passant.

Elle s'ennuyait. La vie devenait uniforme. Elle avait certes longtemps nourri une grande envie de venir ici et maintenant tout ce qui l'environnait semblait peser sur elle. La veille au soir, elle avait fait jouer son phono jusqu'à en être saoule. Ses nerfs étaient ébranlés. Une nostalgie la prit, celle de Paris et, devant ses yeux, des images défilèrent: un après-midi de printemps; elle écoute à la radio le programme des spectacles, théâtres, cinémas, music-halls; ou même seulement la terrasse d'une brasserie sur les boulevards. Pauvre Isabelle, comme elle voudrait respirer l'odeur âcre de l'huile brûlée sur l'asphalte, entendre le ronronnement des moteurs, s'enivrer de bruit, et voir, surtout voir des gens, n'importe quels gens, la foule, la foule anonyme, la bonne foule des rues de Paris! Isabelle a le mal du pays. Cette nature exubérante commence à lui peser. Elle préférerait voir un jardin entretenu, avec des buis taillés et des massifs bien alignés. Elles voudrait revoir des magasins, des vitrines de lingerie. Jamais auparavant elle n'avait ainsi senti le poids de la solitude. Était-ce l'absence de son mari ou ces sentiments étaient-ils naturels? Quoi qu'il en fût, elle avait l'impression de se défaire lentement.

Isabelle, soudain réveillée, vit à ses pieds l'ombre de la vieille Rokhaya. Elle leva la tête, ébahie:

- Oh! fit-elle.

- Oumar? s'enquit Rokhaya, debout, les bras pendants.

- Il est dans la brousse, répondit la jeune femme après avoir repris son calme.

Rokhaya s'assit. Elle avait une camisole très propre, son

pagne aux plis carrés lui arrivait jusqu'aux chevilles; son mouchoir de tête était un de ceux qu'elle gardait pour les grands jours. Cette mise soignée signifiait que la visite était faite dans de bonnes intentions.

Tout en s'installant, elle avait défait un gros nœud, d'où elle sortit sa pipe et une feuille de tabac. Elle la broya, la tassa, remplit son fourneau, tout en regardant attentivement sa belle-fille. Elle n'avait pas compris ce qu'avait dit Isabelle. Elle l'interrogea à nouveau:

- Oumar?

«Comment lui dire?» pensa la jeune femme. Cherchant un geste plus explicite que les phrases, elle désigna les bois en faisant jouer deux doigts comme des jambes qui marchent et Rokhaya comprit enfin que son fils était sorti. Elle alluma sa pipe, tirant d'épaisses bouffées de fumée qui montaient en spirale. Elle s'adossa au pilier de la véranda, posant ses jambes l'une sur l'autre. Ses talons étaient criblés de fissures.

La présence de la vieille avait mis fin à l'accès de cafard. Isabelle découvrait une joie inattendue: jamais sa belle-mère ne s'était montrée à elle de cette façon. Pour la première fois, elle pouvait à loisir la dévisager. Maman Rokhaya avait la figure petite, un teint noir foncé, des sourcils peu apparents mais bien dessinés et très arqués, ses yeux étaient d'un blanc flamboyant qu'elle dardait sur son objectif, et sans doute était-ce à cause de ce regard qu'on disait qu'elle avait un œil trop long. Elle était plutôt grande et, malgré l'âge, son corps avait gardé une certaine sveltesse.

- Oncle Amadou, couché? demanda Isabelle pour ne pas manquer cette occasion qui lui était offerte.

- Tousours . . . malatte . . . Allah! bien, répondit-elle sans enlever sa bouffarde. Et poursuivant dans son français petit-nègre: Papa . . . content . . . pas Oumar . . . ouaw . . . ouaw, concluait-elle.*

Elle avait imité l'aboiement d'un chien, ce qui fit rire Isabelle qui dit encore:

- Oumar travaille, travaille beaucoup, pas dormir.

– Papa . . . elle cherchait les mots en claquant sa langue . . . Papa . . . prié, fils prié . . . mama prié, fils prié . . . Oumar ouaw . . . ouaw! . . .

– Chien . . . ouaw . . . ouaw, interrompit Isabelle.

– Oumar chien, dit la mère.

Le dialogue était difficile. Isabelle se leva et prit Rokhaya par le poignet. Complaisante, la vieille la suivit. Elles visitèrent la maison de fond en comble avec, pour toute explication, des gestes. La vieille était contente, ses lèvres tatouées s'écartaient, montrant des dents rougies par le kola* mais bien alignées. Elle touchait aux rideaux comme le ferait un enfant. Les poils des peaux qui tapissaient le sol lui chatouillaient la plante des pieds. Elle s'était arrêtée sur les marches conduisant aux chambres du haut et contempla l'ensemble, effleurant les meubles du bout des doigts.

– Bon femme, Madame . . .

Elle aurait voulu dire d'autres choses. Elle monologuait, secouant la tête. Sans doute regrettait-elle de ne pouvoir parler comme elle l'aurait voulu? Continuant l'inspection, Isabelle lui fit visiter la basse-cour, la pépinière, puis lui montra le travail d'irrigation qu'avait entrepris Oumar; la tenant toujours par le poignet, elle l'introduisit dans la cuisine, où elle la fit asseoir pendant qu'elle lui pressait des citrons. Le breuvage terminé, Isabelle la servit. Elles burent en se souriant. Le rire de la mère était visible dans ses yeux, car elle riait du cœur.

Quant à Isabelle, elle avait gagné. La vie est drôle parfois: on a peur de l'affronter, on hésite, on tâte le terrain, on brave un danger, surprise, ce n'était rien! Isabelle venait de conquérir un cœur où elle craignait ne pouvoir jamais trouver place.

Soudain, elles entendirent le moteur d'une voiture, qui vint se ranger devant les marches. Avec consternation, elles virent deux blancs en descendre: le gérant de la maison Cosono et Jacques. La vieille regarda sa bru avec des yeux accusateurs. Isabelle était sidérée, elle ne savait que dire ni que faire.

- On ne serait pas venus, si on n'avait pas su que votre mari était absent. L'envie de voir votre maison nous a poussés à vous rendre visite, dit le gérant poliment.

- Ah! fit-elle froidement, entrez, Messieurs.

Jacques suivait l'agent commercial qui jetait des regards à droite et à gauche. Il reprit:

- Il a du goût, votre mari; au moins lui ne ressemble pas à ces blancs-becs si je peux ainsi dire, qui font du bruit pour rien.

Rokhaya se leva et se dirigea vers la porte.

- Maman! cria Isabelle courant derrière elle.

Elle la rejoignit, mais la vieille femme la bouscula avec force et sortit.

- Que puis-je vous offrir? demanda Isabelle avec amertume.

- Ce que vous aurez de plus désaltérant. Mais pourquoi couriez-vous après cette vieille négresse?

A son retour de la cuisine, elle jeta un regard sur Jacques, leurs yeux se défièrent. Il demanda:

- Aimez-vous ce coin d'Afrique?

- Je n'en connais pas d'autre. Asseyez-vous.

- Quand avez-vous fait la connaissance de . . . votre mari?

- Vous êtes curieux . . .

Elle soutint le regard du commerçant, en lui disant, ironique, une pointe de mécontentement dans la voix:

- Pourquoi ne le lui demandez-vous pas?

- Aujourd'hui, nous sommes venus en amis, Madame, dit Jacques d'un ton mielleux.

- Venons-en au fait, dit brusquement le gérant. D'abord, on est au courant des conspirations qui se tiennent ici . . . et de tout ce qui s'y passe.

- Calmez-vous donc. Puisque vous êtes au courant, c'est que nous ne faisons rien de mal.

- Vous ne niez pas?

- Je n'ai rien à cacher. Oui, il reçoit des amis, cela vous dérange?

- Vous verrez, un jour on les mettra tous en prison. Lui, il est antiblanc, mais pas antiblanche!

– Vous aimeriez bien le voir se mettre dans un mauvais cas? Ce jour-là, il faudra que vous ayez un motif valable. Mais je vous donne un conseil: venez plus nombreux!

– Assez, vociféra Jacques.

– Si vous n'êtes pas content, sortez! Je suis chez moi!

– Apprenez que ce n'est pas une chipie, une couche-partout qui viendra semer le trouble ici!

– Non, Raoul, interrompit son acolyte. Ce que nous voudrions vous faire comprendre . . .

Il prenait pour dire cela un ton de politesse exagérée.

– C'est que le plus tôt vous quitterez cet homme, le mieux ce sera pour nous tous. Je suis à votre disposition.

– A l'occasion, je m'en souviendrai, merci . . . Vous n'êtes qu'un dégoûtant. Je vous vois venir avec vos menaces et votre chantage. Tout cela pour coucher avec moi!

– Cela ne vous fait donc rien de coucher avec un nègre? Moi, à votre place, j'aurais honte.

– Et vous, vous voudriez coucher après le nègre? Les restes du nègre, cela ne vous froisse pas, non? Il vaut mieux que vous, tas de cochons!

Il s'était levé, elle en fit autant. Elle recula jusqu'au mur. Sa tête touchait le bout du fusil qui était accroché. Jacques avançait, tendant les bras pour la saisir. Elle l'esquiva d'une volte à gauche.

– N'avancez plus, je vous en prie!

– Quand je voudrai m'amuser avec une grue, je ne prendrai pas de gants. Vous préférez être embrassée par ce gorille?

– Laissez-moi tranquille!

Raoul, son verre à la main, semblait beaucoup s'amuser.

– Qu'attends-tu pour l'attraper? Tu veux un coup de main? Allons, la belle, laisse-toi faire! Qu'y perds-tu? Les gars sont habitués à prendre les restes.

Jacques la poursuivit à travers le salon. Elle se barricada derrière le divan, mais en vain. Finalement, elle se trouva coincée à l'angle de deux murs. Il l'attrapa. Elle se débattit, mais chaque mouvement ne servait qu'à exciter son agresseur.

Les vêtements d'Isabelle se déchiraient, laissant apparaître sa peau cuivrée par le soleil et polie par le vent, ses seins arrondis . . . Vus de l'angle opposé, leurs corps ne faisaient qu'un. Il se frottait à elle, ses cuisses entre les siennes, il pencha la tête, la respiration haletante, la bouche humide, pour l'embrasser. Elle, les mâchoires serrées, tournait la tête en tous sens. Le gérant de la Cosono s'amusait de plus en plus. L'excitation de Jacques était à son comble.

- Vas-y, Jacques, tu l'as.

La tenant par les épaules, celui-ci la renversa. Sa jupe se déchira et la vue du slip fit perdre à l'homme tout contrôle.

- Aïe, la garce! Elle m'a mordu! dit-il en la lâchant brusquement.

Isabelle en profita pour se dégager et sortit en courant de la pièce.

- Viens, Jacques, partons!

Isabelle fit le tour de la maison et revint par la porte de derrière.

Les deux hommes montèrent en voiture, mais la Citroën avait à peine démarré que le pneu arrière éclatait.

- Déguerpissez, sinon je ne réponds de rien! cria Isabelle, le fusil en mains.

- Mais . . .

Un autre coup partit.

- Attendez que j'en finisse avec vous, espèces de voyous, ordures . . .

La colère et la stupéfaction rendaient muets les deux hommes, Isabelle cria encore:

- Filez avec votre voiture, imbéciles!

- Tu as crevé un pneu!

- Ah oui! Et après, je compte jusqu'à trois. Si vous ne partez pas, je tire dans le moteur cette fois, et tant pis si Faye vous trouve ici.

Ils savaient qu'elle mettrait sa menace à exécution. Ils

démarrèrent comme ils purent, la voiture cahotant dans les ornières.

Remontée dans sa chambre. Isabelle pleura des larmes de honte. Elle en avait entendu de toutes sortes depuis la première fois où elle était sortie avec Faye, mais aujourd'hui, c'en était trop. Elle se roulait sur le lit. Ses jambes se prirent dans la moustiquaire qu'elles arrachèrent. Elle finit par s'endormir de fatigue, au milieu de ses larmes. Dehors tombait une pluie fine.

– Tu sais l'heure qu'il est? Je t'ai cherchée partout, je pensais que tu étais allée au cinéma.

Oumar alluma la lampe. Il avait vu le désordre du rez-de-chaussée. Isabelle se leva brusquement et s'agrippa en sanglotant au cou de son mari. De son pouce, il lui souleva le menton:

– Qu'as-tu?

– Rien.

– C'est ma mère?

– Non.

– C'est donc mon père? . . .

– Non, non.

– Que veulent dire ces larmes?

– Ne me demande rien.

Il descendit à la cuisine pour chercher de quoi souper. En remettant son fusil en place, il s'aperçut qu'il en manquait un.

– Isabelle! Qu'est-il arrivé pendant mon absence? cria-t-il, les veines gonflées.

Il remonta quatre à quatre les douze marches, la prit dans ses bras et la secoua:

– Parle, nom de . . .

– Promets-moi que tu ne feras rien.

– Je veux que tu parles, sans condition, le reste me regarde.

Elle lui conta tout sans rien ajouter ni supprimer. Il se mordait les lèvres.

– Partons d'ici, Faye.

– Où veux-tu que nous allions?

– Retournons en France.

– Retourner en France, répéta Oumar se dirigeant vers la fenêtre. Tu n'y penses pas. Je voudrais que tu comprennes certaines choses: . . . Avant la guerre, je ne connaissais rien. Je vivais au jour le jour, mes projets s'arrêtaient à chaque coucher du soleil. Puis, j'ai été mobilisé. J'ai eu des ennemis: les Allemands. On m'a appris à les haïr et à les combattre. On m'a appris à endurer la souffrance physique; qu'il pleuve ou qu'il neige, qu'il fasse chaud ou froid, il fallait combattre. Pendant quatre ans, j'ai vécu côte à côte avec des hommes de toutes les nations, partageant les mêmes rations, évitant les mêmes balles, riant et pleurant ensemble . . . Puis, la guerre finie, nous fêtâmes dans l'allégresse notre victoire durement gagnée. Nous venions de reconquérir la liberté universelle.

Oumar se tut et serra les poings. Puis il reprit plus calmement:

– Un jour, c'était un an après la victoire, un homme avec qui j'avais combattu me dit: «Sans nous, que seriez-vous devenus, que seraient les colonies?» Cette phrase, le jour même de l'anniversaire de la victoire, me bouleversa. Alors j'ai compris. J'ai compris que nous sommes des sans-patrie, des apatrides. Quand les autres disent: «Nos colonies», que pouvons-nous dire, nous? Et tu voudrais que je m'en aille? Pour aller où? Que ferais-je ailleurs? Vois-tu, je suis chez moi, maintenant, et si je n'arrive pas à me faire respecter ici, qu'en est-il de mon honneur? La dignité de l'homme n'est pas seulement de faire des enfants, pas plus que de porter de belles étoffes, c'est aussi son pays. Indépendamment de cela, il y a toi, Isabelle. Tu ne peux pas oublier la faim, les privations que nous avons endurées pour cette maison, et tu voudrais la quitter? Non! Ce n'est pas seulement une chance pour moi de l'avoir, c'est ma force et c'est aussi la tienne. Partout où je vivrai avec toi ce sera la même chose. Je n'ignore rien de l'humiliation et je crois savoir ce que tu peux souffrir. Mais moi, où trouverai-je ma dignité d'homme? Où dois-je la conquérir, si ce n'est dans le pays qui m'a vu naître? Je ne «peux» pas partir et je ne partirai jamais. La seule chose que je puisse te dire, sens-toi libre de partir.

Elle s'était approchée de lui et avait posé sa main sur son poing fermé. Lorsqu'il se tut, elle l'entoura de ses deux bras.

La pluie tambourinait sur les tôles du toit. La colère et l'amertume les avaient nourris. Ils se couchèrent sans songer à dîner.

La tentative de viol de «Madame» faisait les frais des commérages de la saison. On l'avait apprise le soir même; par qui et comment? Personne ne le saura jamais. La vieille Rokhaya était rentrée sans rien dire. Elle n'était plus retournée à la Palmeraie.

Oumar avait fui la ville. A corps perdu, il s'était jeté dans ses nouvelles activités. Il était devenu cultivateur. Les saisonniers étant arrivés, il en avait embauché cinq, et Dieu sait s'il les faisait trimer!

Les rues de la petite cité étaient couvertes d'une épaisse couche de boue liquide dans laquelle on pataugeait jusqu'à mi-jambes. Les caïcédrats, les acajous et les autres arbres étaient envahis par des hannetons noirs et violets gros comme le pouce que les bambins écrasaient à coups de talon. Au long des chemins, autour des jardins les branches des arbres fruitiers se cassaient sous le poids de leurs fruits. Des fleurs sans nom poussaient partout. L'herbe avait fait irruption à l'intérieur comme à l'extérieur des maisons. Courbés sur leurs houes, les citadins désherbaient le matin les pousses de la nuit.

Isabelle prenait des leçons de diola avec Itylima. Elle savait que c'était l'idiome local le plus répandu; mais au fond d'elle-même elle aurait préféré le ouolof. Ce désir lui était venu de la nécessité de s'expliquer avec sa belle-mère. La jeune domestique ne savait pas pourquoi sa maîtresse s'acharnait ainsi à vouloir parler le diola. La façon dont la blanche articulait les mots la portait à rire, de ce rire dont seuls les Africains sont capables et qui lui faisait venir les larmes aux yeux. On avait dit à Itylima que les femmes blanches avaient une prédilection pour les domestiques mâles. Elle n'était pas assez âgrée pour savoir pourquoi, ni plus assez jeune pour ignorer ce que l'on ne voulait pas dire. Mais ce qui lui était plus difficile à comprendre, c'est qu'en un certain cas, on n'avait pas purement et simplement acheté sa force. Les jours de lessive, par exemple, «Madame» restait avec elle. Elles frottaient ensemble, étendaient ensemble le linge, partageaient le même repas, dans la cuisine. Itylima n'était pas traitée comme une servante et elle le savait. Parfois, s'il lui arrivait de se lever la dernière, elle trouvait son petit déjeuner préparé. Pour son habillement, «Madame» lui donnait du linge ou des robes qu'elle ne portait plus. Elle en prenait grand soin, pensant qu'un jour elle pourrait ainsi épater son fiancé.

Telle était la vie que menaient les deux femmes à la Palmeraie, pendant la saison d'hiver.

Quant au maître, il était en pleine action. On le voyait dans les champs et dans les rizières où les femmes courbées repiquaient les tiges fragiles, les jambes couvertes de sangsues. Oumar les encourageait de son mieux. Il leur donnait des poissons séchés et des huîtres sèches. Lorsqu'il voyait un enfant pleurer, il le prenait, le berçait jusqu'à ce qu'il dorme et le reposait ensuite sur une des mottes de terre qui s'élevaient comme des îlots au milieu des eaux. Il avait toujours sur lui des feuilles de tabac, du tabac à priser, des bonbons. Son arrivée était chaque fois un moment de joie pour les femmes. Il s'informait des projets de mariage, encourageait, plaisantait. Il savait se montrer doux. Peut-être même avait-il conquis un cœur parmi toutes ces jeunes filles qui travaillaient, le pagne relevé à mi-cuisses?

Si Oumar se montrait aimable avec les femmes, il en était autrement avec les hommes. D'eux il exigeait davantage. Ces hommes travaillant avec des moyens archaïques ne pouvaient donner plus. Le soleil tapait sur les reins nus. Inclinés vers le sol, ils creusaient des sillons bien droits. Parfois, Oumar se mettait en ligne avec eux et traçait lui aussi son sillon. Il ne savait pas rester inactif. On le voyait dans la plaine dès l'aube, il y était encore le soir. On se demandait si ce fils de pêcheur n'était pas devenu un peu fou ou si on lui avait jeté un mauvais sort. Ou alors, s'il ne cherchait pas quelque trésor enfoui dans la terre.

Et lorsqu'il s'accordait une trêve, il allait à la pêche avec son oncle, ou seul. Une fois il avait repéré les traces d'un lamantin, sur les berges du marigot. Deux nuits durant, il resta à l'affût et, quand la bête apparut pour brouter les feuillages dont elle était friande, il lui planta son harpon dans le flanc d'un bras vigoureux, puis s'élança à sa poursuite sur sa petite pirogue. Et, lorsque l'animal sortit sa tête de l'eau pour respirer, Oumar l'acheva à coups de matraque. Le lendemain il y eut de la viande fraîche dans les champs et les rizières.

La saison des pluies s'installa. La nature semblait peinte sur une toile vert foncé avec un ciel bleu outremer.

La pluie tombait, inlassable, obstinée. La terre vomissait l'eau au fur et à mesure qu'elle la buvait et l'eau emplissait les rizières où les oiseaux aquatiques: marabouts, hérons blancs et gris, ibis, canards, s'abattaient par bandes. Des enfants, perchés sur des tours, criaient, lançant des mottes de terre pour protéger les boutures. Aux quatre coins des champs, on avait dressé des épouvantails pour éloigner les singes, les perdrix, les écureuils qui venaient déterrer les germes.

Dans la brousse, la chasse devenait difficile; les animaux avaient abandonné les cours d'eau, car ils trouvaient partout à paître et à boire. Les serpents se faufilaient sans crainte dans les herbes; le boa inoffensif changeait de peau et guettait sa subsistance: crapauds, lièvres et autres petits animaux dont il fait sa nourriture et qui avaient quitté les endroits humides où ils se retiraient pendant la saison sèche.

Les plus forts des animaux de la brousse, malgré la loi: «Dévorer pour être dévoré», ne pouvant plus dépister aisément leurs proies, s'approchaient la nuit venue des villages où étaient parqués les troupeaux. L'hyène y faisait un ravage terrible et quelques grands fauves arrivaient à enlever des bœufs ou des vaches jusque dans les enclos.

Peu à peu la nature changea de couleur; du vert foncé elle passa au grisâtre. Les nuages s'accrochaient, restant longtemps à la même place. Les nuits devenaient longues pour les paysans. Des nuées d'oiseaux émigrèrent vers le levant. En attendant la récolte, on s'adonnait aux jeux favoris tandis que les commerçants renouvelaient leurs tissus, en variaient les teintes, entassaient les pacotilles propres à aiguiser la convoitise.

La vie de cultivateur n'est pas de tout repos: semer, sarcler, lutter, puis attendre la récolte. Mais lorsqu'il a la joie de voir son travail achevé, son champ mûrir sous ses yeux, sa semence se dresser devant lui, caressée par le vent ou couchée sous la rosée, au moment où la nuit restitue les formes à la réalité, où l'on voit au loin vers le rouge saignant de l'horizon s'élever une chaleur bleuâtre et que les oiseaux incisent l'air de leurs ailes, on oublie alors sa fatigue; on regrette de n'avoir pas donné davantage de sa force, et l'orgueil et la joie vous pénètrent le cœur. Oui la vie, cette vie de laboureur, est une belle vie.

«Ô mon pays, mon beau peuple!», chantait Oumar en foulant le sol.

Il se promenait seul à travers champs, rêvant qui sait à quoi? Il s'arrêtait devant une plante d'arachide pour en redresser les feuilles, libérait une mouche prise par une araignée, évitait de piétiner un scarabée, plus loin il séparait deux tiges de mil, étayait une hampe de maïs trop lourde. Seul devant son peuple qu'il voyait en imagination, aidé par le silence et la solitude, l'émotion le prenait, il parlait et il entendait la voix de son peuple qui lui répondait.

Il avait fait construire un immense grenier, perché sur des pilotis à cause de l'humidité. Avec un matériel très simple, il avait élargi le ruisseau; les *fayats*, grandes pirogues pouvant contenir dix à douze personnes, s'amarraient côte à côte. Les lierres sauvages serpentaient en couvrant la Palmeraie. Les larges feuilles des nénuphars cachaient la surface dormante de l'eau.

La récolte était imminente. Faye reprit ses visites au marché pour suivre les cours. Il avait alloué à Fayène un sac de riz chaque mois.

Un matin qu'il se rendait à Fayène, il surprit sa mère qui auscultait Isabelle. Isabelle avait fait des progrès en diola. Elle avait expliqué à sa belle-mère la visite des deux blancs. Cette dernière avait cru que sa bru avait un amant et cette idée l'avait bouleversée. Convaincue maintenant qu'il n'en était rien, elle mollissait: le subside que son fils octroyait à la «grande maison» avait fait changer sa position à l'égard de la «blanche». Devant l'impossibilité de faire autrement, elle se confectionnait des sentiments plus maternels. Mais elle gardait une arrière-pensée: la seule compensation qu'elle voulait était d'être grand-mère. Bientôt un an qu'ils étaient mariés et elle n'avait pas encore décelé un signe de grossesse.

– Que faites-vous? demanda Faye debout sur le seuil.

– C'est ce que je pensais, dit Rokhaya en ouolof. Ta femme ne peut pas avoir d'enfant, il faut qu'elle vienne me voir.

– Tu as compris ce qu'elle veut, Isabelle?

– Il y a longtemps que nous avons commencé, répondit Isabelle en reboutonnant son chemisier.

– Alors ça, c'est le bouquet! Et moi qui n'en savais rien. Tu n'as pas peur?

– Non. Je le voudrais pour toi.

– Ce n'est pas de ma vie qu'il s'agit, mais de la tienne, grogna Oumar. Petit ou pas petit, je m'en fous.

– Je le sais . . . mon ami, je le sais.

– Pourquoi . . . peur, intervint la vieille, «Madame» pas mort.

Il respira fortement, sachant que tout était décidé à son insu. Il se gratta la nuque et mi-consentant, il bougonna . . .

– Bon, bon . . . comme vous voulez . . .

– Ta mère fait des progrès en français, moi, pendant toute la saison, j'ai appris le diola.

Puis se retournant vers sa belle-mère, elle dit:

– Moi venir . . .

Et sur ses doigts, elle compta trois.

– Oui, acquiesça Rokhaya de la tête.

– Alors dans trois jours, mère.

Il lui pinça la joue.

– Fils de chien, tu n'as pas honte de me faire du mal?

Ils s'en allèrent en riant. Le cœur de la vieille femme se serra. C'était plus fort qu'elle, elle ne supportait pas de le voir partir sans elle. Elle se dit: «Le jour où ils auront un petit, je le prendrai avec moi!»

La Palmeraie se dorait au soleil. Itylima les reçut en leur annonçant qu'ils étaient attendus. Le visiteur se leva quand ils entrèrent, posa le livre sur la chaise et se présenta.

– Pierre, de la Cosono.

Il était tout habillé de blanc et ne portait pas de coiffure.

Ils prirent place sur le divan.

– Veux-tu nous apporter de quoi boire, Itylima? Je vous écoute, Monsieur.

– Voilà. Comme je savais que vous aviez . . . enfin . . . nous voudrions acheter toute votre récolte.

– Et si je ne le vends pas?

– Je ne sais ce que vous en ferez.

– Ce n'est pas la question. Pour le moment, je ne vends pas.

– Merci, dit-il quand la jeune noire déposa le plateau et lui tendit un verre . . . Je pourrais vous être utile, Monsieur Faye.

– Combien d'années avez-vous fait en Afrique, Monsieur Pierre? interrogea Oumar.

– J'y suis depuis sept ans. Mes enfants sont nés ici. Mais pas en Casamance, dans le Saloum.

– Dites-moi, dans vos conseils d'administration, envisagez-vous d'apporter une aide quelconque aux paysans?

– Nous n'en parlons même pas.

– Donc, à chaque saison, vous achetez les récoltes et que

vous importe ce qu'a été la saison pour les pauvres bougres? Il y a une école d'agriculture qui, paraît-il, forme le paysan noir. A la sortie, rien n'est mis à sa disposition pour l'aider à se développer, et les besoins du pays s'accentuent de plus en plus . . .

– Excusez-moi. Je vois bien où vous voulez en venir, mais cela n'est pas de notre ressort. Néanmoins, l'école vous a servi à quelque chose.

– Erreur: moi, c'est la guerre qui m'a servi.

– Je vous donne cinq francs de plus que le cours actuel.

– Quand je fais des affaires, c'est avec honnêteté; pourtant, j'aurais besoin d'une camionnette en bon état.

– J'ai compris, ça peut s'arranger d'ici deux à trois semaines.

– J'ai mon brevet de mécanicien. Je sais que dans certains milieux, lorsqu'on vend aux nègres, c'est de la camelote qu'on leur refile.

– Faites-moi confiance.

– C'est pas dit.

– Madame, votre mari est intraitable, dit Pierre en se levant.

– Il a ses raisons, répondit Isabelle, la tête penchée.

– Dans quinze jours vous aurez votre camionnette. A bientôt, Monsieur, Madame.

Lorsqu'il fut parti, Isabelle s'inquiéta:

– Pourquoi es-tu si méfiant? Nous ne risquons rien.

– Oh! je ne sais pas, il a l'air louche.

– Il y a partout des bons et des mauvais.

Il ne répondit pas, se contentant de fumer. Il savait pourquoi elle était dans cet état d'esprit.

4

Le son des tam-tams résonnait dans la fraîcheur du crépuscule. Tantôt du nord, tantôt du sud, tantôt sur un rythme accéléré, tantôt au ralenti, ils semblaient se répondre. On écoutait ces grosses voix sans parole, semblables à des notes de musique vibrantes, qui brisaient le silence, secouaient la terre, passaient pardessus l'onde ensommeillée, embrassaient les troncs rugueux des géants de la forêt, réveillaient la volaille endormie sur les branches. Malgré l'appel des mères, la marmaille courait vers la grande place en emportant qui une botte de paille, qui un fagot.*

Oumar, qui profitait de la tranquillité du soir pour faire ses comptes, écoutait lui aussi.

– Isabelle, il y a lutte ce soir, si nous y allions. Puis tu irais voir ma mère . . .

Tous ceux que le noble sport intéressait étaient là. Un feu avait été allumé sous les rameaux du grand fromager, autour duquel un vaste cercle s'était formé. En passant à Fayène, Faye avait emporté une chaise pour «Madame». Les Seck étaient présents et avec eux toute la «compagnie».

Pieds nus, ne gardant sur eux que leur pantalon retenu par une cordelette, ou plusieurs pagnes autour de la taille, Diolas et Mandingues échangeaient leurs défis. Ils en vinrent vite aux mains. C'est une lutte brutale où tout est permis, où l'on saisit son adversaire comme on peut; la rapidité, la surprise assurent la victoire plus que la force pure. La clarté du feu, alimenté sans cesse, faisait briller la sueur sur les torses puissants, bâtis en forme de vase, des lutteurs. Larges d'épaules, minces de taille, avec une épine dorsale profondément creusée, des muscles saillants d'un bout à l'autre du dos, c'était un spectacle nouveau pour Isabelle, qui n'avait connu ces hommes que dans les champs où ils paraissaient si indolents, de les voir se transformer en superbes athlètes d'une agilité surprenante.

Dès que l'un des adversaires tombait, la lutte était finie, alors éclataient des cris perçants qui dominaient même le bruit du tam-tam. Le vainqueur esquissait un pas de danse et, pour l'encourager, les femmes chantaient et redoublaient de battements de mains.

Peu à peu l'énervement gagnait les autres groupes ethniques venus en spectateurs: les *Balantas* plus nerveux; les *Sérères* plus rusés, les gens du Sud plus brutaux, tous se provoquaient de la voix et du geste. Une main ouverte et lancée en avant indiquait au vainqueur qu'il avait un adversaire pour se mesurer à lui. Le défi accepté, tous deux avançaient l'un vers l'autre, se dandinant sur leurs jambes longues et minces, ramassant en chemin une poignée de terre qu'ils se jetaient à la face en signe de provocation. A ce geste, les spectateurs criaient: «A boussoulou, a boussoulou!»

Après la lutte, Oumar et Isabelle se rendirent à Fayène où Rokhaya attendait la jeune femme.

La case où devait se dérouler la cérémonie d'incantation était isolée des autres. L'intérieur en était lugubre: des vases renversés, des bouts de pilon sortant du sol humide, le dessus blanchi par les bains de lait caillé; à l'écart, un canari contenait de l'eau où flottaient des écorces, çà et là, des cornes, les unes rouges avec des *cauris* (1), les autres vertes avec des lambeaux de crinières.

(1) Petits coquillages.

Les deux femmes à peine entrées, Rokhaya laissa retomber la natte qui servait de porte et alluma une bougie, puis elle dit à Isabelle de se déshabiller. Elle-même n'était vêtue que d'un court pagne, d'un blanc immaculé.

A ce moment, un léger bruissement se fit entendre le long des lattes qui soutenaient la toiture. Isabelle, nue maintenant, frissonna. Rokhaya, la tenant par la main, lui fit faire plusieurs fois le tour des *Hames* (1) en chantant, en murmurant plutôt une mélopée aux sons étrangement modulés. Isabelle avait froid; sous ses pieds, elle sentait l'humidité du sol mouillé. Soudain, un sifflement aigu la fit sursauter: balançant sa tête en forme de pointe de flèche, un serpent descendait du toit, lentement, vers le visage et les épaules de Rokhaya qui continuait à psalmodier. Glissant du cou au torse qui brillait au reflet de la chandelle, la bête enroulait et déroulait ses spirales autour du corps de la vieille femme. Isabelle, à moitié morte de frayeur, n'osait pas bouger, fascinée par ce spectacle. Par contre, rien chez Rokhaya ne trahissait une crainte quelconque. Sa mélopée s'était transformée en une sorte de long discours. Le serpent, semblant obéir à un ordre secret, se dressa face à Isabelle, sa langue fourchue dardée vers elle.

La jeune femme ne pouvait plus supporter le regard froid de ces yeux gris-vert, un fluide glacé coulait dans tout son corps. Elle voulut faire un pas en arrière, mais, très doucement, la vieille la maintint à sa place. Puis elle arracha deux cornes qui étaient accrochées à la paroi. Elle en mit une entre les mains d'Isabelle et lança l'autre vers le toit: la corne resta suspendue en l'air, immobile. Rokhaya fut alors prise de véritables transes, chacun de ses mouvements s'accompagnant d'un chant tantôt plaintif comme une supplication, tantôt bref et rauque comme un commandement. Le reptile fit entendre un nouveau sifflement et la corne au-dessus de lui se mit à bouger.

Isabelle avait perdu toute notion de temps. La nuit était à

(1) L'ensemble des pilons et des canaris où se pratique la sorcellerie, dans une case. Ou lieu que, seuls, peuvent fréquenter les fétichistes.

la moitié de son règne, les bûches consumées, les cendres refroidies, la terre froide. C'était l'heure où les djinns visitent les demeures pour s'emparer des âmes.

Rokhaya prit de l'eau dans le creux de ses mains et en aspergea Isabelle. Le serpent s'était lové entre ses jambes comme un cordage sur le pont d'un navire. A nouveau, conduite par la vieille femme, Isabelle dut faire le tour de la case, enjambant le reptile qui, à chaque passage, dressait la tête.

Enfin Rokhaya donna à boire à Isabelle un breuvage à goût d'écorce, la fit asseoir sur le canari et l'examina. Longuement, elle promena ses mains rugueuses sur le corps qui frissonnait et qui, sous cette caresse, s'apaisa peu à peu . . .

Oumar, qui attendait sa femme devant la porte depuis un bon moment, étouffa un bâillement en la voyant apparaître.

– Eh bien, il est temps! Je tombe de sommeil.

Isabelle prit son bras, mais ne prononça pas une parole pendant le chemin du retour.

Trois jours après, une fièvre terrassa Faye. D'abord, il avait senti son corps secoué de frissons, ensuite il s'était trouvé plongé dans un véritable bain de sueur. C'était une violente attaque de paludisme. Le moustique porteur du mal avait dû le piquer dans les hautes herbes de la brousse. Rokhaya fut alertée. Elle déclara qu'on avait jeté un mauvais sort sur son fils et dans tous les coins de la chambre où il gisait à demi mort, des fétiches se mêlèrent aux peaux de bêtes. Pendant plusieurs jours, Oumar fut en proie au délire.

De plus, Itylima était retournée dans son village pour la cérémonie de l'excision. La présence de la vieille Rokhaya ne déplaisait pas à Isabelle, mais lorsque le médecin africain arriva, la mère de Faye poussa de tels cris que le praticien se fâcha et qu'Isabelle se demanda si vraiment il était nécessaire que Rokhaya restât à la Palmeraie.

Au lever du soleil, Faye n'allait pas trop mal, mais lorsque venait le soir, il n'était plus possible de le retenir sur le lit: il parlait fort, s'agitait, se tordait comme si un diable l'habitait.

Les deux femmes se relayaient régulièrement pour veiller le malade. Rokhaya lui frictionnait le corps avec du vinaigre, ce qui l'apaisait pour un moment. Elle lui donnait à boire des décoctions de tamarin mêlé à des plantes inconnues. Il vomissait aussitôt puis s'endormait. La violence de cette crise inquiétait tout le monde, car elle durait maintenant depuis près d'un mois. Pour la première fois son père était venu à la Palmeraie, accompagné des adeptes de la religion, et avait demandé sa guérison au Tout-Puissant. L'oncle Amadou, lui, était allé chercher un charlatan qui confirma les doutes de la vieille mère. Il affirmait que le mal qui possédait Oumar s'était enfui dans le marigot, qu'il fallait le retrouver à tout prix, sinon c'était la mort. Quelques jours plus tard, on le vit revenir portant un œuf bizarrement peint, sur lequel il se livra à de curieuses simagrées.

Cependant, jour après jour, Oumar revenait à lui. Il avait beaucoup maigri et Isabelle souffrait de le voir ainsi. Il eut une dernière et mauvaise attaque de dysenterie. On l'emmaillota dans des pagnes et des couvertures. Les commissures de ses lèvres étaient couvertes de boutons.

Enfin, un matin, on put le descendre au jardin.

- Tu reviens de loin, mon ami, dit Isabelle en posant une couverture sur ses genoux.

Il ne répondit pas, son regard vide errait à distance. Sous l'ombre du goyavier, avec sa femme pour infirmière, il revenait à l'existence. Et elle lui raconta les principaux événements qui s'étaient déroulés pendant sa maladie: le départ d'Itylima et aussi celui de Joseph, le jeune médecin militaire blanc. Il avait été rappelé pour l'Indochine et avait pris l'avion à Dakar le jour même où Faye avait eu sa première crise. Tous les jeunes habitués de la Palmeraie avaient regretté ce compagnon sérieux et attentif. Comme il devait passer par Paris, Isabelle lui avait remis une lettre pour ses parents et, en souvenir, le nez de l'espadon pêché par Oumar. Elle conclut en riant:

– Cela fera un drôle de bibelot dans le salon!

– Combien de temps suis-je resté couché? demanda-t-il.

– Un mois et vingt jours aujourd'hui. Tu veux une cigarette?

– Non, merci . . . C'est la première fois que je suis malade à ce point; j'avais eu quelques petits accidents . . . C'est étonnant.

– Moi, j'étais morte de peur . . . Tiens, Louise a écrit.

– Que dit-elle?

– Veux-tu que je te lise sa lettre?

– Qui.

«Mes chers grands,

«La dernière lettre d'Isabelle m'a fait bien de la peine. Comme cette maudite fièvre a dû vous abattre tous les deux, lui physiquement et toi moralement. Je vous aime bien, vous savez; n'oubliez pas que j'ai été témoin et complice de votre idylle, votre chaperon, en un mot, et maintenant que je sais que «le Grand» a tenu parole, mon amour fraternel n'a fait que croître. Nos vieux sont fiers de toi. Le jeune docteur qui nous a apporté cette espèce de bec de poisson nous a fait votre éloge, il nous a raconté comment vous receviez tous ces jeunes chez vous. Mais il y a une chose qui nous a bouleversés, c'est lorsque avec beaucoup de tact il nous a parlé de cet attentat ignoble dont tu as failli être victime. Papa a été inabordable pendant trois jours; quant à mère, je sais pas si elle en est encore revenue.

«Je suis allée à l'église brûler un cierge pour que Oumar guérisse vite. Ne riez pas, j'y crois.

«En ce qui concerne ta belle-mère, ne t'en fais pas. Souviens-toi de maman quand tu voulais te marier. Les préjugés raciaux ne disparaissaient pas vite.

«Il est l'heure de vous quitter. En ce moment, je n'ai plus de soupirant. J'ai l'impression d'être en chômage. Tendez vos joues que j'y pose mes lèvres roses.

«Louise.»

– Elle sera toujours aussi espiègle!

– Il y a aussi celle de papa. N'es-tu pas fatigué?

– Non, répondit-il en passant sa langue sur ses lèvres sèches.

Celle-là était écrite dans un style plus sévère et plus sobre.

«Mes chers enfants,

«Il est bien agréable d'avoir de temps en temps de vos nouvelles, même si nous devons nous faire du souci pour vos santés. La fièvre dont tu es atteint doit être un mal endémique de ton pays, soigne-toi bien, petit. Écoute les conseils de ta mère. Le fait qu'elle s'y connaisse dans les plantes nous rassure. Et puis, ne te montre pas trop dur envers elle. Être pour le progrès ne veut pas dire qu'on doive renoncer aux vieilles traditions.

«Merci pour le cadeau. J'ai eu une longue conversation avec votre ami le docteur. Il y a des choses qui blessent l'amour-propre. Mais quelle que soit la blessure faite, je te demande de bien réfléchir. La force ne vient qu'après la pensée, sinon on est un être sans conscience. Je me souviens de notre première entrevue. Lorsque tu m'as dit: «Ne me jugez pas d'après mon épiderme . . .» et tu sais la suite. Quant à toi, ma fille, ne te fais pas de mauvais sang pour nous. Nous sommes contents de te savoir heureuse, et c'est avec fierté que je dis: «Mon gendre est un noir.» Ce n'est pas la race qui fait l'homme, ni la couleur de sa peau.

«Ces jours derniers maman a eu une attaque d'asthme, je pense qu'il y a peut-être dans votre pays un remède contre ce mal. Faye, demande à ta mère.

«Louise voudrait partir chez vous, mais sa mère hésite. Qu'en penses-tu, fils?

«Recevez, mes chers enfants, notre bien fidèle affection.

«Papa.»

Faye expliqua à sa mère le contenu des deux lettres. Elle les prit, essayant de déchiffrer les formes qui dansaient sur la feuille.

– C'est vrai ce que tu dis? demanda-t-elle.

– Oui . . . Si tu ne me crois pas, emporte-les; tu les donneras à quelqu'un d'autre pour qu'il te les lise.

– Ce sont de bons parents.

– A propos, je n'ai pas vu Itylima.

Isabelle lui dit la raison du départ de la jeune fille. Le soleil changeait de place. Les oiseaux venaient s'abriter sous les basses branches.

– Tu crois que l'excision est nécessaire? demanda Isabelle.

– Non.

– Alors, pourquoi le font-elles?

– Il te sera très difficile de le comprendre parce que tu n'es pas née ici.

– Ta mère a-t-elle subi cette opération?

– Demande-le-lui.

– Je n'ose pas . . . Agnès, viens me renseigner, demanda-t-elle à la jeune fille qui arrivait.

– Comment va le malade?

– Pas trop mal, répondit Faye en étendant les jambes.

– La dernière fois que je suis venue . . . Ah, là, là, là . . .

– Tu es bien belle, où vas-tu? demanda Isabelle.

– J'ai acheté cette robe chez S.C.O.A., pas très cher. Tu en veux une?

– Merci, répondit la jeune femme . . . Dis-moi pourquoi les filles se font-elles exciser?

– Cela se fait de moins en moins.

– L'as-tu fait?

– Non.

– Et ta mère?

– Oui, répondit Agnès avec un peu de gêne.

Cette fois, Isabelle avait dépassé les limites de la curiosité. Une mère est sacrée pour les noirs, surtout lorsqu'il s'agit de son intimité . . .

– . . . Si cela se faisait en France, ta mère l'aurait accepté, dit Agnès.

– Je me posais justement la question . . .

Cette réplique inattendue désarma Faye.

– Tu vois cette plante sur le goyavier . . .

– Oui.

– . . . C'est du gui. Il y a des années de cela, en Europe, les druides immolaient des victimes humaines et attachaient de mystérieuses vertus à ce gui, maintenant cela ne se pratique plus. De même ici, beaucoup de choses se perdront . . . Agnès, que sont devenus les copains?

– Yaye Rokhaya les a mis à la porte . . . Le bal aura lieu le 14 Juillet. A cette date, nous pourrons avoir la salle pour deux nuits. On a invité tous les jeunes Casamanciens expatriés . . . Mais il y a une question épineuse. Ils ne savent pas si Désirée doit être des nôtres? Moi, je trouve que c'est idiot. Si toute la ville est conviée, il n'y a pas de raison de ne pas l'inviter . . . Qu'en dis-tu? . . . Pendant que j'y pense, Agbo dit que c'est un faux problème . . . Je ne sais pas ce qu'il veut dire par là.

– C'est vrai, c'est un faux problème. Que lui reproche-t-on? D'être une métisse, d'avoir eu un père blanc et une mère noire? J'irai la chercher moi-même!

– Merci, frère, tu es chic . . . Je savais que tu le ferais.

5

La fête devait durer les deux derniers jours de la semaine. La ville était pavoisée de drapeaux; il y en avait partout: au faîte des cases, sur les palissades, sur les barques, jusque dans les branches des arbres. Les écoliers avaient répété pendant des jours et des jours leurs mouvements d'ensemble. Un bal devait clôturer la fête, aussi des jeunes gens étaient-ils venus, non seulement des bourgs voisins, Bidiona ou Adéane, mais aussi des villes les plus proches. Ceux qui avaient quitté depuis des années le pays natal y revenaient à cette occasion. La «Jeune Casamancienne», l'orchestre qui faisait courir tous les danseurs de Dakar, de Gorée et Saint-Louis, était là. Dans Ziguinchor, des visages nouveaux apparaissaient à chaque coin de ruelle. A Boudodi, où devait avoir lieu la soirée, les habitants étaient fiers que leur quartier ait reçu ce privilège.

Au déclin du jour, par bandes, des hommes en tenue de soirée se pavanaient en attendant l'heure. Ils allaient de carré en carré offrir les présents qu'ils avaient apportés à leurs amis ou à leurs futures épouses.

Quant aux femmes, elles avaient troqué les pagnes de la semaine pour les *taïbas* (1) qui les faisaient ressembler à des Guinéennes; les tissus appelés *légos* (2), importés des

(1) Camisole ajustée qui s'arrête aux reins.
(2) Déviation du mot «Lagos», nom donné aux tissus importés de ladite colonie sous la domination britannique.

colonies anglaises, étaient à l'honneur. Sur toutes les têtes, les tresses se ressemblaient à peu de chose près, mais variaient selon le goût de l'artiste; certaines étaient réunies en queue de cheval prolongée par les *yoss* (3) teintes en noir, d'autres, plus petites, étaient terminées par des rangées de perles et séparées de façon à laisser voir la peau du crâne; quelques femmes avaient poussé l'extravagance jusqu'à ne faire qu'une seule tresse qui allait de l'avant à l'arrière du crâne et était mise en valeur par des louis d'or. Les jeunes filles venues de la métropole noire se ressemblaient par leur tenue de soirée: une longue robe verte hâtivement confectionnée. Chez elles, les tresses n'étaient plus à la mode, mais les cheveux soigneusement peignés, enveloppés dans un filet. Elles faisaient bande à part.

L'orchestre, sur l'estrade, attendait l'ouverture du bal. Les appels d'une table à l'autre, les nouvelles que l'on échangeait à voix haute, les rires prouvaient que la soirée serait animée.

La responsabilité de la bonne marche de la fête avait été confiée à Diagne qui naviguait de place en place; son rôle de maître de cérémonie lui plaisait, il recevait avec courtoisie et avait un mot aimable pour chacun.

– Les gars commencent à bouder, j'ouvre? demanda-t-il au vieux Gomis, le doyen de la réunion.

– Commence alors.

Le vieux ouvrit le bal avec sa femme, sous les acclamations des jeunes à qui il montrait le pas d'antan. Des indiscrets qui voulaient voir se bousculaient à la porte d'entrée. Le commandant, accompagné de sa femme et des autres blancs du cercle, honorait la soirée de sa présence; ils étaient placés près des musiciens. Les vieilles femmes catholiques avaient accepté de servir de serveuses moyennant une rémunération et s'acquittaient de leur tâche avec conscience. Faye, en pantalon noir et veston blanc, venait d'entrer accompagné d'Isabelle tout de blanc vêtue.

(3) Fibre d'un arbuste que les femmes teignent en noir et façonnent en perruque.

Désirée se tenait sous le porche. La blancheur nacrée de son visage, de sa gorge et de ses bras paraissait flotter dans une brume lumineuse. Tous les regards étaient concentrés sur elle. Avec une audace tranquille, elle les défiait tous. Contrairement aux autres femmes qui arboraient des boucles ou des tresses compliquées, elle avait laissé retomber sa chevelure, simplement brossée et lustrée, en une nappe sombre et brillante qui déferlait sur ses épaules rondes. Sa longue robe, décolletée en losange, laissant voir une chaîne d'or et la croix qui y était suspendue se perdait entre deux formes bien faites.

Ils furent reçus tous les trois au centre de la piste et conduits à leur table, de l'autre côté de l'estrade.

– Mon petit, vous êtes en retard, dit le père Gomis.

– J'ai eu une panne de carburateur en route.

– Comment vas-tu, Désirée?

– Bien, Papa Gomis.

– Et vous, Madame?

– Pas trop mal.

– Tout est pour le mieux alors.

– Que désirez-vous boire? s'informa Diagne.

– Ce qu'il y a de meilleur, dit Isabelle.

Faye dansait avec sa femme. Diagne avait Désirée dans ses bras; arrivé près d'Oumar, il lui fit un clin d'œil. L'ambiance était créée, les couples se formaient l'un après l'autre. Au-dessus des têtes, le lustre flamboyait. L'administrateur discutait avec le boutiquier. Les danses succédaient aux danses. Tourbillonnant au son de la musique, par dizaines les couples évoluaient sur la piste. Isabelle, sans se lasser, changeait de cavalier à chaque danse. Oumar s'était retiré un moment dans la cour avec la mulâtresse; ils s'étaient assis sur le banc et seul le blanc de sa veste était visible de loin.

– Tu es songeuse, ma fille, dit Faye à qui le silence pesait.

– Je pensais à beaucoup de choses.

– Trop penser n'est pas toujours bon.

Désirée resta un instant silencieuse puis reprit:

– Elle est très sympathique ta femme.

– Heureux de te l'entendre dire . . . Est-ce qu'on ne t'a pas demandée en mariage ces temps-ci?

La jeune fille avait renversé sa tête en arrière et regardait les étoiles qui n'apportaient aucune clarté à la nuit.

– Peut-être y en a-t-il qui me désirent en mariage, mais je ne veux pas.

– Et pourquoi?

– Ta femme ne sera pas jalouse si elle ne nous voit pas?

– Elle n'a aucune raison de s'inquiéter. Mais tu n'as pas encore répondu à ma question?

– Je ne devrais pas te le dire, à moins que l'on ne t'ait chargé d'une demande . . . C'est à cause de ma mère. Elle n'est pas aimée ici; si je la quitte, que deviendra-t-elle? Nous autres, sang-mêlé, nous n'appartenons à aucun milieu, à aucun groupe, et cela nous vaut bien des souffrances.

– Si tu aimes ton mari?

– Raison de plus, il n'est pas obligé de garder ma mère, mais elle . . .

– Pourtant, moi, je vis bien avec une blanche.

– Tu es un homme.

Elle parlait avec hésitation.

– Que t'importe ce qu'on dit, continua-t-elle. D'ailleurs. tous parlent de toi, les uns avec admiration, les autres avec dédain, et ce sont ces derniers qui sont le plus nombreux. Je t'ai vu au port le jour de la bagarre. Quand j'ai rencontré Diagne, je lui ai demandé de tes nouvelles. Je n'osais pas t'approcher . . .

– Et pourquoi?

– Parce que, peut-être, tu n'est plus le même.

Elle s'arrêta.

– Le fait d'être marié avec une *minnediérou brancou* (femme blanche) n'élève ni n'amoindrit personne. Je ne comprends pas . . .

– Tu es quelqu'un maintenant, interrompit-elle. Pourquoi ne t'arrête-t-on pas? Pour moins que tu as fait, d'autres sont en prison! Tu es riche, respecté, ta femme est blanche, on dit que cette soirée est organisée à tes frais?

Il écoutait à travers les bouffées de musique qui parvenaient jusqu'à eux. Pour lui, tout cela était nouveau; depuis un an qu'il était de retour, il ne s'était jamais soucié de ce qu'on pouvait dire de lui et de sa femme. Il avait ce défaut, comme tous ceux de sa race: né avec lui, enraciné au plus profond de son être, l'orgueil le tenaillait.* Il était sûr de lui, il aimait influencer son entourage, et c'est pourquoi, tandis que la jeune fille lui confiait ses pensées, il se sentait fier.

– Désirée, reprit-il soudain, que préférerais-tu pour mari, un noir ou un blanc?

Prise au dépourvu et ne sachant que répondre, elle redressa la tête. La musique arrivant jusqu'à eux l'empêchait d'entendre les palpitations de son cœur. Attendant une réponse qui ne venait pas vite, il ralluma sa cigarette.

– Je préférerais un blanc.

Elle avait dit ces mots comme s'ils avaient été poussés hors d'elle par une force invincible. Oumar regarda la fille qui, les yeux fermés, semblait honteuse d'être dépouillée de son secret. L'arrivée d'Isabelle mit fin à son supplice.

– Que faites-vous là? Au fait, c'est votre affaire. On demande Monsieur à l'intérieur.

– Qui?

– Le vieux Gomis.

– Allons-y, mes enfants.

Ils entrèrent, lui les tenant toutes deux par le bras. Isabelle se pencha à son oreille et lui demanda:

– Que lui as-tu dit, elle a l'air bouleversée?

Ils se dirigèrent vers la salle de bal, où Isabelle fut littéralement prise d'assaut par quatre ou cinq danseurs.

– Excusez-moi, mes amis, mais cette fois, je garde ce qui m'appartient . . . dit Oumar en riant. Tiens, Agbo, prends celle-là, ajouta-t-il en poussant Désirée dans les bras du docteur.

La valse entraînait les couples. Les robes volaient, découvrant des jambes aux jolis galbes. Brutalement, la musique cessa et le chef d'orchestre annonça un concours de danses. Il présenta les jurés parmi lesquels figuraient le commandant du Cercle, le vieux Gomis, Faye, Seck et Agnès. L'orchestre recommença à jouer. Le nombre des participants était tel, au début, qu'il était difficile aux jurés de voir ceux qui commettaient des fautes, mais les musiciens forçant l'allure, beaucoup abandonnèrent.

Il ne resta bientôt plus que sept couples; au boogie-woogie, quatre autres lâchèrent, exténués; la samba fit trébucher ensuite l'un des trois couples restants. Et il n'y eut plus en piste que Diagne avec Désirée et Isabelle qui avait pour partenaire un homme arrivé avec les derniers invités. Le commis tenait bien sa cavalière dont le corps, moulé dans sa robe traînante, se soumettait aux évolutions de façon impeccable. Soit par mégarde, soit volontairement, Mme Faye et son cavalier furent éliminés. Alors ce furent des acclamations sans fin, ovations, applaudissements, roulements de tambour, tous voulaient féliciter Diagne et Désirée.

A la table d'honneur, une corbeille de fleurs et des flacons de parfum furent remis à l'heureuse gagnante.

– Que le champion embrasse sa cavalière, annonça le chef.

Tous les regards étaient fixés sur eux; Désirée avait rougi sous son teint basané, Diagne avança la tête en s'inclinant, elle ferma les yeux et, sur chacune des joues brunes, il posa ses lèvres. Quand elle ouvrit les yeux, elle vit que Faye l'observait.

– Mille excuses, Madame, dit le cavalier d'Isabelle. Sans mon étourderie, cet honneur vous serait revenu, donc considérez-vous comme la gagnante morale.

Il parlait avec facilité, accompagnant ses paroles de nombreux gestes . . . Puis il se présenta:

– Monsieur Cissé, du barreau de Dakar . . . Lors de votre mariage avec Faye, j'étais à Paris . . .

– Ah! C'est pourquoi je ne vous connaissais pas.

Le nouveau venu l'amusait par sa faconde.

– Mais le «Grand Faye», lui, tout le monde le connaît. Il est aussi célèbre que le . . .

– Ah! Voilà notre magistrat toujours en quête de clients, dit Oumar en se joignant à eux.

– Je ne voudrais pas de toi comme client, te connaissant comme je te connais . . . merci!

– Ne reste pas trop près de lui, petite, il te fera des promesses de mariage, puis au bout de deux mois, il te dira: «Vous ne répondez pas à mon idéal . . .»

Tout en parlant, il avait passé son bras autour des épaules de sa femme.

– C'est l'espèce humaine la plus infecte après celle des Gomis! . . .

La nuit finissait, les paupières s'alourdissaient, la danse n'avait plus l'impétuosité du début, les danseurs n'avaient plus la même fougue. Les blancs s'étaient retirés en même temps que le doyen. Tout le monde devait se retrouver au défilé du lendemain.

Au-dehors, une vapeur blanchâtre reliait la terre au ciel; des feuillages la rosée tombait goutte à goutte.

Le lendemain eut lieu la cérémonie officielle. Vers le port, en longues processions, on vit arriver tous les habitants, puis les notables, médailles pendantes sur les boubous immaculés. Ils s'installèrent sur la tribune, et les rayons du soleil qui dissipaient la brume matinale se mirent à jouer avec les croix de guerre, les médailles militaires et les Légion d'honneur. La Casamance coulait paisiblement, aucune pirogue ne sillonnait ses eaux. Les navires avaient sorti leurs pavillons multicolores. Seuls les palétuviers de la rive opposée avaient gardé leurs couleurs habituelles et leur calme.

La fanfare de la mission catholique joua *la Marseillaise* à l'arrivée du gouverneur du cercle qui, talons joints, fit le salut réglementaire; chacun l'imita, les uns en levant leur coiffure, les autres en rectifiant la position, ceux où celles qui avaient un cure-dents à la bouche l'enlevèrent. Puis une petite fille tout en blanc vint remettre une gerbe de fleurs au commandant qui la déposa au pied du monument aux morts - l'habituelle allégorie soulevant dans ses bras un soldat blessé et sur le socle on pouvait lire ces mots:

«La France reconnaissante à ses enfants.»

Après le dépôt de la gerbe, le chef du district prit place dans la tribune. En béret bleu, chemise blanche et ceinture rouge, les enfants des deux écoles rivalisèrent dans un défilé martial. Arrivés à la hauteur des officiels, ils balançaient les bras, bombaient leurs maigres poitrines, martelaient le sol de leurs talons. Puis vinrent les gardes-cercles tout en kaki: chemise, short et molletières. Leurs cartouchières étaient vides . . .

Après le défilé, Faye et sa femme flânèrent d'un jeu à l'autre; course en sac, mât de cocagne, courses de canards sur le fleuve et, sur le wharf, surplombant l'eau, une poutre enduite de suif sur laquelle les enfants essayaient de marcher afin d'atteindre le chiffon qui donnait droit à un lot. Les débardeurs grognaient contre cette journée qui les privait de leur gain quotidien.

- On dirait une kermesse, dit Isabelle.

- A quelque chose près, oui. Partons.

Le véhicule de Gomis les déposa à Fayène. Au ronflement du moteur, Rokhaya sortit et dit à sa bru:

- Bien solie . . . Madame.

- Merci, Maman . . . Je suis fatiguée.

- Il faut que ta femme se repose et toi aussi, dit la vieille femme.

- Nous rentrons.

Rokhaya prit la main d'Oumar et la porta à son cœur.

Lorsqu'ils furent partis, elle écouta encore longtemps décroître le bruit du vieux moteur poussif.

TROISIÈME PARTIE

1

Les nuages revenaient, suivant leur sillage de la saison chaude. Le bleu clair du ciel et le vert gris de la terre annonçaient le renouveau; les arbres, les feuillages semblaient repeints à neuf.

La fin de la mauvaise saison arracha les cultivateurs à leurs distractions, arrêta les festivités. Les habits de fête regagnèrent les fonds de malles en bois. Les gens avaient tout dépensé et s'étaient endettés pendant la saison morte. Il ne leur restait rien dans les greniers, et tous espéraient une bonne récolte - si Dieu le voulait.

Faye avait vendu la moitié de la sienne; il espérait placer l'autre à un prix élevé aux grandes compagnies. Il reprit son travail, agrandissant ses champs, augmentant le nombre de ses rizières et se lançant même dans la culture du manioc. Il était devenu sévère et dur comme ceux qui travaillent la terre et vivent d'elle.

Chacun se réjouit en son cœur lorsqu'ils virent le sol se fendre sous la poussée des graines, douleurs et joies de l'enfantement au ras de la terre. Humant l'air et buvant la rosée, les petites pousses se doraient au soleil. Déjà les gamins veillaient de l'aube au crépuscule sur ces trop tendres promesses.

Mais un jour, jour de deuil et de pleurs, le désarroi des paysans fut grand, leur espoir s'envola. Sur la terre, à perte de vue, rien, plus d'embryons, rien qu'une coulée noirâtre, mouvante, déferlant en toutes directions. La masse destructive avait tout dévoré, les bons comme les mauvais germes. Elle s'attaquait même à l'écorce des racines. Elle dévastait tout. Le parfum léger du jasmin humide céda la place à une odeur fade qui donnait la nausée. Plus redoutables qu'une épidémie, les larves sortaient de terre par myriades. En une seule matinée, elles avaient rongé des semaines de labeur.

Personne n'avait fait attention à la venue des criquets; sans doute avaient-ils passé la nuit pour pondre leurs œufs malfaisants. Et ce matin-là, quand les guetteurs découvrirent les larves, ce fut une débandade folle à travers les champs. Aussitôt, la voix forte du tam-tam annonça le funeste message. On accourut de partout. Les uns s'étaient armés de branchages; certains tapaient sur des estagnons, d'autres arrivaient tenant des torches allumées qu'ils avaient trempées dans l'huile de palme, quelques-uns avaient des pelles . . . Ils se dispersèrent à travers la plaine comme un troupeau sans berger.

Oumar Faye avait rendez-vous ce matin-là avec Agbo. Pour que le jeune médecin eût écourté sa journée de travail, il fallait vraiment que le sujet lui tînt à cœur. Faye l'écoutait comme un frère. Ils faisaient les cent pas en bordure du marché.

– Oui, disait le docteur, je suis allé chez elle . . . et je ne sais pas au juste où cette fille veut en venir.

– Écoute, Agbo, cette fille n'est pas comme les autres . . . Essaie de la comprendre. Elle se fait beaucoup d'idées sur le mariage . . . Tu l'aimes, tu l'aimais avant mon arrivée. Tu as peur d'un échec . . . Mais comment peux-tu être sûr qu'elle n'a rien pour toi? Hein? Tu ne lui as rien demandé.

– Alors, dis-moi si elle t'a dit quelque chose à mon sujet? demanda Agbo en s'arrêtant.

– Non. Vois-tu, je ne lui ai jamais parlé de toi, mais de son type idéal . . .

- Ah! fit le docteur. Et quel est son genre de type?

- Elle . . .

Les mots restèrent collés à son palais. Oumar venait d'entendre l'appel du tam-tam: la tonalité grave, les battements rapides, le silence lourd qui suivait avaient leur signification pour lui: «Présage de malheur», pensa-t-il.

- Je retourne en brousse, il se passe sûrement des choses graves . . . Nous reparlerons de Désirée, mais d'abord, déchire ce voile de crainte qui t'enveloppe.

Sur ce, il partit en courant à la Palmeraie.

Agbo, resté seul, s'en retourna à l'hôpital. Après huit années d'école de médecine et d'internat, on l'avait envoyé en Casamance. Il aimait son métier et avait la conviction qu'en faisant ce choix, il avait servi son pays. Pendant son internat, il ne s'était lié avec aucune jeune fille. Par contre, toujours en contact avec des milieux nouveaux, il avait su développer son sens de l'observation des êtres et des catégories sociales. Sa vocation lui suffisait et, comme il le disait souvent à Seck: «Nous sommes des forces ignorées, c'est ce qui fait notre grandeur et, si nos hommes nous ignorent, pensons à les éduquer.»

Cependant Agbo aimait Désirée. Il n'avait encore confié ce secret à personne, mais lorsqu'il avait vu Oumar en conversation avec la métisse, il avait eu un pincement au cœur. Le docteur faisait partie de ces hommes qui redoutent l'amour parce qu'ils le placent sur les plus hauts sommets. En fin de compte, ne sachant comment aborder la jeune fille, il avait consulté Faye.

Celui-ci, à peine arrivé dans la plaine, s'était rendu compte de l'étendue du ravage causé par les larves. Il ordonna de creuser des fosses de deux coudées de profondeur et d'une de large. Avec des rameaux, des chiffons, on chassait la vermine vers les tranchées que l'on comblait aussitôt. Oumar dressa un plan qui couvrait une superficie de cinquante lieues. Il donnait des ordres comme un général, commandait, criait, passait de village en village avec sa camionnette pour recruter des combattants. Mais l'envahisseur était encore le plus fort.

La chasse durait depuis dix jours. Les vieux ne savaient pas s'il fallait continuer ou s'en remettre à la volonté du Tout-Puissant. Une chaleur torride leur tombait sur la tête, brûlait les torses nus et les cuisait comme une plaque chauffée à blanc.* Par moments, l'un d'eux se relevait, la main sur les reins, le regard morne, la figure décomposée, les larmes prêtes à jaillir. Un autre qui chiquait crachait un jet noir avant de dire: «Enfants maudits», puis, les mâchoires serrées, il reprenait son terrassement; ou bien, sous l'emprise d'une colère subite, il se mettait à danser; hurlant comme un possédé du diable, il piétinait la masse grouillante, heureux de tuer avec ses pieds nus.

Et les paysans continuaient à taper et à combler les fossés. Leurs corps décharnés, baignés de sueur, étaient couverts d'une poussière noirâtre que soulevaient les ramures. A califourchon sur le dos de leurs mères, les bébés portaient d'instinct leurs minuscules mains sur leur petit crâne, pour s'abriter des morsures du soleil. Ils avaient presque tous vieilli et la famine aux yeux creux les guettait . . .

Devant leur incertitude de venir à bout du fléau, les notables des villages voisins tinrent un conseil. Faye était le benjamin. Ils se réunirent un peu en retrait de la ligne des combattants.

– Moi, dit un vieil homme à barbe blanche, au corps ridé, je suis avec vous et toute ma famille est dans la brousse. Voilà des jours que nous poursuivons «les fils des criquets», mais ces enfants de chien meurent le jour et renaissent la nuit. Qu'allons-nous faire?

Tous répétèrent la même question en murmurant: «Qu'allons-nous faire?»

– Cette année, dit un autre, nous n'avons pas sorti d'offrande. Si nous sommes punis, c'est à cause de cela. Sortons le *Cangourang* (1), peut-être cela décidera-t-il

(1) Espèce de surhomme. Les cultivateurs de la Casamance le considèrent comme un esprit. Il a forme humaine, mais l'on ne voit ni ses pieds ni sa

certains à se donner davantage au travail. Mais n'oublions pas que la famine est sur nous. Toi . . ., s'adressant à Oumar, toi, fils de l'homme des eaux, nous te remercions, car, lorsque l'eau gronde, nous ne venons pas à ton secours . . . Mais si tu as quelque chose à dire, nous t'écoutons . . .

Des dizaines d'yeux se braquèrent sur lui. Il se tenait debout, son chapeau à la main; ceux que le soleil gênait se servirent de leurs mains en guise de visière.

- Merci, honorables vieillards, de m'accorder votre confiance.

Il parlait posément, mais son pouls battait fort. Il avait chaud, la sueur perlait sur son front. Il reprit sur le même ton:

- Je ne suis pas ici en étranger, vos souffrances sont celles du peuple, nos pleurs sont ceux de tous, et ceux qui vivent sur cette terre et ne sont pas là en ce moment dépendent aussi de vous. Il ne faut pas aimer la terre pour ce qu'elle donne, il faut la chérir parce qu'elle est nôtre. Elle est une mère et une femme . . .

- Oh! firent quelques-uns.

- Je vous prie de m'écouter; personne ne connaît la valeur d'une noix si elle n'est pas cassée . . .

- En effet, dit le vieil homme, accroupi la tête dans ses mains.

Faye tenait à leur dire ce qu'il avait si longuement mûri en lui. Le moment tellement souhaité était venu. Il poursuivit:

- Depuis le premier matin, je suis avec vous; creusant, marchant avec vous. Si nous suivons le plan, nous arriverons à écraser ces enfants de malheur dans dix jours. Des jeunes iront demander de l'aide à ceux qui ne sont pas encore touchés. Ils nous prêteront des bras, c'est cela dont nous avons besoin. Les offrandes ne changeront rien, ces bâtards grandissent de jour en jour et deviennent de plus en plus voraces. La saison est en avance sur nous; ou nous tuerons les

tête. Ses bras restent collés à son corps. Il vit seul, dans la brousse, et ne vient dans les villages que sur la demande des vieillards. En un mot, tout un mystère l'entoure.

bêtes ou les bêtes nous tueront. Je pense que le mieux est de continuer ce que nous avons commencé. Nous n'aurons pas de repos: jours et nuits, nous devrons être là. Nous allumerons des feux avec des espaces de vingt coudées. Mettez-vous bien ceci dans la tête: nos vies, celles de nos familles en dépendent. Vous ne voulez pas voir péricliter vos troupeaux ni assister à l'agonie lente de vos enfants? Non, n'est-ce pas? Alors, hâtons-nous, car nous ne faisons que caqueter comme des jeunes filles près d'un puits. Pour moi, je vais retourner en ville voir ce que je peux faire . . .

– Pourquoi ne nous donnes-tu pas tes graines, puisqu'il t'en reste? demanda quelqu'un.

– C'est vrai, il m'en reste. Mais tu n'as pas plus de cervelle qu'une vieille. Dans quelle terre sèmeras-tu?

Un murmure d'approbation s'éleva.

– Nous ferons ce que tu as dit. Si tu peux apporter de quoi manger . . . Dieu te payera, dit le vieux à barbe blanche.

– Je ferai tout mon possible. Mais il faut agir vite et . . . sortez aussi le *Cangourang* si vous y croyez!

Le vieillard serra longuement dans ses mains celle de Oumar, son regard en disait plus que des paroles.

Faye se rendit à la Résidence qui était au centre de la colonie européenne. Les gardes voulurent l'empêcher d'entrer, mais il franchit rapidement les marches. Ses pas résonnaient sur les carreaux brillants du grand hall. Il leva les yeux de tous côtés, regardant cette «maison» dont dépendait la vie de milliers de ses semblables. La Résidence était tout à la fois hôtel de ville, chambre de commerce et aussi tribunal de première instance.

«Personne parmi ces gratte-papier ne lèvera ses fesses de sa chaise pour nous aider à sortir de ce mauvais pas. Pourtant, c'est aux produits qui naissent de cette terre qu'ils doivent leur bien-être. Je vivrais cent ans, rien que pour voir une seule fois les cultivateurs fixer eux-mêmes le prix de leur labeur», pensait Faye.

Soudain, il vit Désirée devant lui. Elle avait à la

Résidence un emploi de secrétaire.

– L'administrateur est-il là?

– Oui. Mais il faut que je demande si tu peux être reçu. Il y a Raoul avec lui . . . Qu'est-il arrivé dans la brousse? Il paraît que les criquets ont tout rongé?

– Va dire que je suis là.

Il suivit la fille sur ses talons et dès qu'elle ouvrit la porte, ayant entendu: «Entrez!», Oumar se plaça entre la porte et elle, poussa le battant et entra. La métisse écarquillait les yeux . . .

– Ça va, lui dit l'administrateur qui ajouta: J'avais dit que personne ne me dérange.

Il ôta ses lunettes cerclées d'écaille.

Faye, d'un regard circulaire, inspecta le bureau. Raoul et lui se toisèrent.

Oumar ferma le poing. Il sentit le sang monter à son visage.

– Asseyez-vous, dit l'administrateur. – Et il poursuivit: – Je sais pourquoi vous êtes venu . . . C'est à cause des larves. Justement nous en parlions avant votre arrivée . . . C'est très bien que vous soyez là. Vous arrivez de la brousse, n'est-ce pas?

– Oui, répondit Oumar.

Ses doigts tachés d'huile touchèrent le bureau en acajou verni sur lequel trônaient une bouteille de Pernod et deux verres à moitié vides. Le bureau était spacieux et, comme dans le hall, tout y était net et propre.

– Eh bien! dites-nous où vous en êtes?

L'administrateur se tut et posa ses coudes sur la table. Faye était dérouté . . . «Il se fout de moi ou, vrai de vrai, je ne suis qu'un imbécile», marmonna-t-il. Et tout haut:

– Je suis venu chercher de l'aide.

– Mais où en sont les cultivateurs? demanda Raoul se calant confortablement dans son fauteuil de cuir.

– Monsieur l'Administrateur, commença Faye en cherchant ses mots, à mon départ d'ici pour la métropole vous n'étiez pas là, Raoul non plus, il était dans la Haute-

Volta; vous ne connaissez pas bien les gens d'ici. Voilà une semaine et quelques jours que nous essayons de venir à bout de ces larves et nous ne sommes pas encore les maîtres de nos champs. Vous me demandez où nous en sommes? Vraiment c'est décevant! Je vais vous raconter une petite histoire dont j'ai été le témoin . . . Vous n'avez jamais assisté à un supplice dont le coupable n'avait pas volé, mais seulement n'avait pas pu rembourser la semence empruntée pour payer son impôt. On l'expose sur la place publique, au moment où le soleil est au zénith. On ne lui laisse rien qu'un cache-sexe, on ne lui donne ni à boire ni à manger, les miliciens le gardent. Tout le village est là . . . La famille au complet occupe le premier rang. Ce n'est pas un beau spectacle. La douleur n'est pas seulement physique, elle est aussi morale. Et maintenant, vous me demandez: «Où en sommes-nous?» Bonne ou mauvaise récolte, nous devrons payer l'impôt. Mais comment payer l'impôt si nous ne sommes pas protégés. Et Raoul, lui aussi, attend la récolte . . . il est commerçant . . .

– C'est bon . . . C'est bon, interrompit l'administrateur. Pour le moment, je ne peux rien faire, je le regrette.

– Demandez un avion pour pulvériser de la poudre insecticide . . .

– Tu penses à ce que tu dis? intervint Raoul.

– Je ne te cause pas, toi, vociféra Faye . . . Je vois que le malheur des paysans ne touche pas l'administration! En venant, on m'a dit «Inutile d'aller voir le «Manso», il ne fera rien!»

– Qui a dit cela? questionna le «Manso».

– Je ne suis pas un rapporteur.

– Va, je verrai ce que je peux faire, et si je n'obtiens rien, j'enverrai des détenus en renfort.

– Merci toujours, dit Oumar.

Et il sortit après avoir dévisagé Raoul avec haine.

Dans le bureau de la secrétaire, il se trouva face à face avec Jacques. Il l'empoigna, colla son nez épaté au visage du blanc et, avant que l'autre fût revenu de sa surprise, Faye lui avait assené un coup de poing de chaque côté de la tête et l'avait envoyé choir sur le bureau de la jeune fille.

– Et tu ne perds rien pour attendre, dit Faye.

Puis, rapidement, il se dirigea vers sa camionnette. La métisse l'y attendait assise sur la banquette.

– Qu'est-ce que tu fais là?

– J'ai fini au bureau, emmène-moi.

– Tu habites juste à l'opposé de la ville!

Sans répondre, elle prit son bras en se faisant toute petite. Il se mordit les lèvres.

– C'est bon, dit-il.

Et il démarra.

– Comment va ta femme? demanda Désirée.

– Voilà dix jours que je ne suis pas rentré.

– Oh! la pauvre, dit-elle avec un air de pitié.

Puis, changeant de ton.

– Ce que tu fais là n'est pas gentil. Moi, si j'avais un mari comme . . . je ne le quitterais pas d'une semelle!*

Ils descendirent la grande route qui traversait le marché, longèrent le bord de la Casamance et Faye déposa la jeune fille à l'entrée de Boudodi.

– Je te reverrai? demanda-t-elle.

– Quand tu viendras chez moi.

– Ma mère te réclame depuis la soirée du bal. Je ne vais plus au cercle. Veux-tu savoir pourquoi?

– Une autre fois.

– Quand?

– Quand tu voudras, chez moi . . . Non, je viendrai voir ta mère.

En tournant brutalement, il faillit la bousculer . . . «Qu'elle est bête, cette fille», se dit-il. Il passa son avant-bras sur son front pour essuyer la sueur. La même sensation qu'il éprouvait chaque fois en présence de Désirée le saisit; il se sentit parcouru par une onde tiède. Évitant de peu un enfant qui traversait la route, il frôla le mur de la maison Cosono. Sous les cris de la marmaille, il doubla Fayène et rentra à la Palmeraie.

Isabelle s'étonna de le voir arriver de ce côté de la ville.

Depuis qu'il l'avait quittée, sa grossesse la rendait nerveuse et boudeuse. Le retour de son mari lui apporta un peu de gaieté.

– Comment, tu arrives par Santhiaba?

– Oui, je viens de la Résidence, ensuite j'ai acheté trois sacs de biscuits. Et maintenant je vais prendre un bain.

– Pendant ce temps, je vais te préparer à manger . . . A propos, Pierre est venu, mais il ne m'a rien dit de l'objet de sa visite. Agbo était là hier au soir.

– Han! fit Oumar en bâillant.

Puis il alla puiser l'eau, remplit le baquet. Le manque de sommeil avait gonflé ses paupières. Plongé dans l'eau, il somnolait déjà, tout en se frottant. Une épaisse couche de crasse savonneuse nageait à la surface. Il sortit et s'essuya rapidement. Dans le salon, sa femme apporta une collation. Faye, enveloppé dans son peignoir, avala quelques bouchées.

– Mais, où est Itylima?

– . . . Avec ta mère, dans la plaine, depuis ce matin. Je ne comprenais pas très bien ce qu'elles disaient, mais je suppose qu'il s'agissait de moi . . .

Bâillant sans pouvoir s'arrêter, Oumar s'allongea sur le divan:

– Qu'importe, ma mère a connu la . . . la . . . brousse bien avant ma naissance, que peut-elle faire d'une compagne? . . . Bon, réveille-moi dans une heure. Il faut que je reparte.

– Tu ne couches pas encore ici ce soir?

– Encore? . . . C'est un reproche? dit-il en se retournant vers le dossier du divan.

Il essaya de continuer à parler.

– Il faut que j'aille là-bas. Je ne sais pas quand je rentrerai . . .

Il s'étira et d'un coup s'endormit, assommé de fatigue.

Isabelle, debout, le regardait. Sa réserve de patience s'envolait de jour en jour. Mais le voyant ainsi, elle comprit à quel point il était épuisé. Elle prépara du linge de rechange qu'elle déposa soigneusement au pied du divan.

2

L'apparition du Cangourang avait fait son effet. Personne n'était resté dans les cases sous prétexte d'une maladie imaginaire. Tout habillé de rouge, il ne passait pas inaperçu. Il fouillait les paillotes et les greniers; ceux qu'il prenait à ne rien faire recevaient une bonne correction en public. Redoublant d'ardeur, les gens battaient le sol sans hésitation, sous la menace des deux sabres que le Cangourang faisait miroiter au-dessus de leur tête. Il allait de groupe en groupe en hurlant, suivi par son escorte qu'il soumettait à une rude discipline. Il les faisait courber, ramper sur les épines; il marchait sur eux, faisait pleuvoir des coups; le sang ne l'effrayait pas; plus rapide qu'un lièvre, pouvant voler - au dire des indigènes - , il détestait le rouge dont il était couvert de la tête aux pieds; nul en sa présence n'osait mettre un vêtement de cette couleur.

Après des semaines, la désinfection toucha à sa fin. Ceux qui maniaient le kadiandou, le koco ou le dramba* étaient tous là. Les détenus étaient les plus heureux, malgré les chaînes qu'ils avaient aux pieds, car ils pouvaient avoir des nouvelles de leur famille.

Enfin, le dernier fossé fut comblé. Seul le crissement des cigales troublait le silence à présent revenu. Il ne restait rien qu'une immense étendue dévastée. Faye réunit tout le monde.

Maintenant, chacun va rentrer chez lui. Je peux fournir de la semence à ceux qui en veulent.

– Combien en produira chaque barrique? (Une barrique est égale à un quintal dans le langage du paysan africain.) Et combien devrons-nous te payer?

– Rien, leur répondit-il.

– Tu es fou! Les hommes aux oreilles rouges sont plus riches que toi, mais ils ne prêtent rien qui ne puisse rapporter des fruits et toi, tu veux ongle pour ongle; par mes aïeux, je n'ai jamais vu un fils de la ville aussi fou que toi.

– C'est peut-être parce que tu n'as pas beaucoup marché. Pour moi la terre est tout. Mais vous, vous n'en connaissez pas la valeur. Vos fils . . . oui, le sauront. Je vous prête la semence à condition que vous ne vendiez pas vos récoltes à quelqu'un d'autre. Je ne demande pas plus.

– Et si la récolte n'est pas bonne, comment ferons-nous pour te payer? Nous avons déjà des dettes . . .

– Je perdrai mon bien, mais je resterai avec vous!

Les paysans se consultèrent longuement, puis le vieillard reprit la parole.

– Nous sommes avec toi! Quand nous donneras-tu les graines?

– Demain matin. Nous devons faire vite, car le temps presse.

– Et moi qui ai deux grandes familles, pourrai-je avoir deux barriques? demanda quelqu'un dans la foule.

– Non, tu auras comme tout le monde, néanmoins je peux te donner un conseil: tu mettras tes deux familles ensemble.

Ce fut un rire général. Le vieil homme accompagna Oumar jusqu'à la camionnette et lui remit une amulette en poils de tigre.

– Garde-la avec soin, elle me vient de mon père qui la tenait du sien. Dieu sera avec toi, tu es un bon fils.

– Merci, n'oublie pas d'envoyer un jeune demain.

– Mais voilà, dit l'homme à l'âge avancé en cherchant les mots . . . nous sommes très nombreux.

– Tu en auras deux.

– Que Dieu veille sur toi.

– *Amine*, répondit-il en quittant le vieillard.

Après quoi, il prit en charge les prisonniers qui marchaient avec difficulté à cause des chaînes. L'état de la route était lamentable; les premières pluies avaient creusé des rigoles, là où les «travailleurs forcés» avaient trimé pendant la saison sèche. Ils rencontrèrent des femmes qui revenaient du marché. Faye les encouragea en agitant son bras par la portière; elles répondaient par des cris joyeux, l'écho grossissait ces voix qui parvenaient jusqu'à lui. Le gardien assis à ses côtés s'informa de ses activités.

– Je suis d'ici et j'aime la terre, répliqua-t-il.

– C'est inquiétant ce que tu fais.

– Et pourquoi?

– Je ne sais pas. Pour un jeune, cela porte malheur d'être trop connu.

– Si je meurs, personne ne se plaindra, si ce n'est ma mère et ma femme. Je ne veux pas mourir, d'ailleurs. Maintenant, combien d'années de service as-tu fait?

– Vingt ans, répondit le milicien.

– Pour cela, je ne veux pas mourir, redit-il.

– Je ne comprends pas . . .

– J'ai fait quatre ans et j'en ai soupé.

Le soleil se cacha sous un nuage qui menaçait. Faye déposa sa cargaison devant le commissariat. Le ciel couleur gris-fer pesait ainsi qu'un couvercle brûlant. De retour chez lui, Oumar gara sa camionnette, ouvrit sa porte et trouva Isabelle assise sur le divan.

– Es-tu assise ou couchée? dit-il en se moquant gentiment.

– Assise, répondit-elle en fronçant les sourcils.

– On ne le dirait pas.

– Mais tu viens de la ville?

– Oui. J'avais des prisonniers à ramener.

– Mon ventre me fait peur par moments, dit-elle en changeant de sujet.

– Voilà des jours que je me demande ce que tu as pu manger!

Elle lui envoya un coussin au visage.

Oumar prit la main de sa femme. Le ventre avait des proportions alarmantes. Bien qu'Isabelle fût habillée d'un ensemble très ample, cela ne cachait rien de son état.

– Peut-être ai-je trop pris ce que m'a donné ta mère? Dis-moi, que fais-tu ce soir?

– Je voudrais bien aller à la pêche.

– Oh! fit-elle avec désapprobation.

– Tu veux que je reste?

– Oui, nous sommes les gens les plus heureux de la terre et je ne me plains pas de mon époux . . .

– Par contre, je me plains de ma femme . . . elle fume mes cigarettes.

– Je ne fume plus, avec cette mixture amère que je bois tous les matins. Rien que d'y penser, j'en suis malade.

– Au moins, cela ne me coûte rien.

– Juif! Avare!

– Tant mieux.

– Tu te rappelles notre mansarde à l'hôtel? Tu me disais qu'un jour nous aurions notre maison à nous; tu as tenu parole. Maintenant, j'ai peur que tu ne m'aimes plus . . .

Elle passa sa main sur son ventre.

– Ce que tu peux être bête parfois.

– Que préfères-tu? Un garçon ou une fille?

– Je préfère leur mère . . .

L'arrivée de Rokhaya, qui venait tous les jours prendre des nouvelles de «Madame» et donner d'autres ordonnances, mit fin à leur conversation. Isabelle se trouvait en bonne voie et la vieille femme ne resta pas longtemps à la Palmeraie. Sur le pas de la porte, elle dit à Oumar:

– Ton père te demande, fils. Il veut te voir ce soir.

– Bon, j'irai au coucher du soleil.

– Marcher, pitit pitit, couser* pas bon, fatigue . . . malade, dit encore la vieille à Isabelle en tenant ses reins.

– Je n'ai pas compris, Faye.

– Elle te dit de marcher au lieu de rester toujours couchée, que cela n'est pas indiqué pour tes reins et que cela te fatigue . . .

Il avait traduit les paroles de la vieille en se moquant de sa femme.

- Je ne suis pas couchée, dit-elle avec véhémence. Telle mère, tel fils! Et si nous allions avec elle dans la brousse?

- Avec moi? Non alors.

- Pourquoi?

- Il y a des choses qui concernent les femmes et pas les hommes, c'est la coutume ici. Nous irons au ciné.

- Dans l'état où je suis?

- Quelle importance?

La pluie tomba tout l'après-midi et jusqu'au lendemain matin.

A l'aube, la journée s'annonça merveilleuse avec son éclat hivernal, sans chaleur. Les cultivateurs étaient arrivés, qui à pied, qui en pirogue. Itylima les reçut en leur offrant un pot rempli de *quinquiliba* (1). Oumar les recevait avec un mot gentil pour chacun; Isabelle, assise sur un tabouret, inscrivait les noms et les villages, tandis que son mari pesait la semence: riz, mil, maïs et arachides. La distribution s'animait au fur et à mesure que le soleil s'élevait.

Depuis le matin, ils œuvraient de tout cœur. Isabelle, malgré son état, ne se sentait pas trop fatiguée. Cependant un vent venant de la forêt voisine, apportant avec lui l'odeur des feuilles en putréfaction, lui donna des nausées.

- Arrête un peu, dit-elle.

- Tu te sens fatiguée? Repose-toi.

- Ce n'est rien, ce malaise ne sera que passager.

Ils se remirent au travail. Mais Isabelle n'en pouvait plus et son mari dut la transporter sous la varangue à l'abri du soleil et de l'alizé.

- Ici je me sens mieux. Je regrette de ne pouvoir t'aider, mon ami, dit-elle tristement.

(1) Tisane d'herbes, «thé» local.

– Je finirai avec Itylima.

Il pesa et inscrivit jusqu'à l'heure où le soleil est tout au milieu du ciel; il avait faim, mais il ne voyait que ces regards tournés vers lui et qui semblaient implorer son aide. Les paysans étaient accroupis selon leur habitude – la tête entre les mains. Faye appelait, donnait, serrait les mains des partants, s'informait de leur famille, de tout et de rien; il trouvait un mot agréable pour chacun. Il fut surpris de voir sa mère à ses côtés.

– Comment, mère, tu es là? Il y a longtemps?

– Non, répondit-elle.

Elle regardait son fils. Toutes les personnes présentes étaient venues de leur village pour lui; elle se souvint de son retour. Il avait voulu être laboureur et il l'était.

– Comment va la grande maison? demanda Oumar.

– Dieu merci, bien; hier tu n'es pas venu voir ton père.

– Il pleuvait . . . As-tu vu Isabelle?

– Oui. Je ne comprends pas, les femmes toubabs semblent très fortes et elles sont plus fragiles qu'une goutte de rosée sur une feuille de manioc. Peut-être qu'elles ne sont pas comme nous, femmes noires?

– Pourquoi dis-tu cela? les femmes sont toutes pareilles.

– Elle non. J'ai peur qu'elle ne puisse pas accoucher dans des conditions normales.

– Tu ne lui as rien dit?

– Non, non, dit-elle en s'approchant de Faye qui s'était arrêté d'inscrire le nom d'un homme de Marsassoum.

– Il ne faut rien lui dire . . . Voilà pourquoi nous n'avons pas d'enfant, c'est depuis . . .

– Que veux-tu faire d'une femme qui ne peut pas avoir d'enfant?

– Mère, c'est toi qui dis cela . . . et c'est toi qui . . . cette nuit . . .

Rokhaya n'attendit pas la fin de la phrase, elle se retira dans la Palmeraie.

Oumar alluma une cigarette qui lui procura une impression de bien-être; quand soudain, la peur d'un malheur le saisit. Il se rappela les paroles du médecin au moment de leur mariage . . . «Ta femme ne pourra pas avoir d'enfant, ou alors au risque de sa vie, car elle est très étroite. Te voilà prévenu.» Assis, la tête baissée, il avait oublié les paysans. Quelqu'un toussa pour attirer son attention. Il prit une poignée de terre, elle était humide et noire, il la goûta . . .

- Est-elle sucrée? demanda une voix.

C'était Pierre qui arrivait.

- Je n'ai rien goûté de plus délicieux; elle garde toujours sa saveur.

A la vue du blanc, les indigènes se levèrent et se découvrirent en signe de respect. Faye regarda les siens, l'homme, puis secoua la tête.

- Ne te vexe pas pour si peu. Il faudra beaucoup d'années pour leur enlever ce complexe d'infériorité, dit le jeune blanc. Voilà plusieurs fois que je suis venu, mais tu étais dans la brousse.

- Pour le moment, je ne peux pas parler affaires, néanmoins, en m'attendant, tu peux m'être utile.

- Volontiers.

- Prends ce cahier, tu inscriras tous les noms que je vais te dicter.

Et Pierre l'aida, avec autant d'ardeur que s'il s'était agi de ses propres affaires. Trois heures après, il ne restait plus personne et le grenier était vide.

Ils rentrèrent au bungalow.

- Qu'est-ce qui me vaut l'honneur de cette visite? demanda Faye . . . Itylima, apporte-nous à boire . . .

- Eh bien, voilà, dit Pierre en s'asseyant, Tu sais mieux que nous que les dégâts causés par les larves sont considérables et compromettent la prochaine récolte; et puis il y a des . . .

- Noirs, finit Faye en voyant Pierre embarrassé, ne sachant s'il fallait dire «noir» ou «nègre».

- . . . Oui, des noirs qui nous doivent de l'argent et, sans récolte, nous ne serons pas remboursés . . . S'il te reste des semences, vends-les-nous . . .

– C'est qu'il ne m'en reste plus! Et s'il m'en restait, ben, vous ne les auriez pas . . . Lorsqu'il fallait se débarrasser du fléau, il n'y a pas eu de secours de votre côté. La vie des cultivateurs ne vous intéresse pas . . . Mais lorsque vos intérêts sont menacés, que faites-vous? J'ai vu ton patron un jour à la Résidence, pendant l'histoire des sauterelles . . . Quand comprendrez-vous que vous n'êtes plus les hommes que nous craignions, que votre prestige est en déclin? Vous ne pouviez pas nous tromper éternellement.

– Je ne suis pas responsable des faits que tu me reproches, mais si tu tiens à nous concurrencer, tu as perdu, malgré tout ce que l'on raconte sur ta mère.

– Je ne veux pas vous faire concurrence, je veux simplement lutter. Si je perds d'avance, cela ne fait rien; ceux qui viendront après moi vous tiendront tête jusqu'à ce que vous soyez assis à la même table.

Pierre ne répondit pas. Isabelle descendait les marches de l'escalier, elle fit un salut de la tête; la fatigue se lisait sur son visage.

– Mes respects, Madame. Ça n'a pas l'air d'aller très fort? C'est souvent ainsi. Pour ma chère épouse, cela avait été pareil.

– Où est ta femme? demanda Faye.

– Morte en couches.

– Oh, je te demande pardon.

– Tu ne pouvais pas savoir . . . Tu as raison, il faut vivre pour quelque chose, sinon la vie n'a guère d'intérêt.

Il vida son verre d'un trait, sa figure s'était durcie . . .

– Au revoir, Madame. Faye, peux-tu m'accompagner jusqu'à la sortie des palmiers?

Oumar le suivit. Cette confidence les avait rapprochés. Arrivés à la lisière, Pierre dit à Faye:

– Garde le fond de tes pensées pour toi. Tu te fais plus d'ennemis que d'amis; tes compatriotes ne sont pas comme tu voudrais qu'ils soient. Je comprends tout ce que tu m'as dit, et c'est la vérité, mais que puis-je faire? Le fardeau est trop lourd pour tes épaules . . . Quant à ta femme, surveillela bien, elle est plus mal qu'elle en a l'air. C'est tout ce que j'avais à te dire . . . Si, encore ceci: j'aime l'Afrique . . .

Il n'ajouta rien, gagna le talus. Oumar le vit disparaître dans la poussière soulevée par son auto.

Quand Oumar et Isabelle sortirent, il faisait nuit noire; seules les étoiles brillaient. Çà et là, des crapauds s'interpellaient.

Arrivés à Fayène, ils trouvèrent le vieux Moussa dans le prioir qui égrenait les perles de son chapelet. Il agitait tantôt sa main droite, tantôt sa main gauche pour éloigner les moustiques qui bourdonnaient à ses oreilles.

– *Assalamalec*, dit Faye en entrant dans la concession.

– *Oua alëck Salam* répondit le vieux.

Faye fit le tour des pièces en demandant des nouvelles de chacun. Seynabou invita Isabelle à la suivre dans sa chambre.

– Pourquoi ne l'enverrais-tu pas à ses parents? interrogea Moussa dès qu'il fut seul avec son fils.

– C'est mon épouse.

– Je ne t'ai pas fait venir pour te parler d'elle . . . Voici ce dont il s'agit. Il y a de cela bien longtemps, avant ton retour, je faisais des rêves. Dans mes songes, on m'appelait en direction de la Kaâba . . .* C'est le désir de tout mahométan de se rendre dans la Ville Sainte. Je vais pouvoir le satisfaire cette année, grâce à Dieu, à son prophète et à toi . . .

– Je ne comprends pas bien, père, interrompit Oumar.

– Laisse-moi finir de parler. Tous les hommes de mon âge s'y sont rendus une ou plusieurs fois et moi, jamais; voilà pourquoi je t'ai fait venir. Comme tu le sais, ta grand-mère est morte, que Dieu ait pitié d'elle et la prenne en sa sainte protection . . .

– *Amine*, dit le fils, en se demandant où son père voulait en venir.

– . . . Légitimement, la maison te revenait par rapport à ta mère; mais je l'ai donnée en bail pour trente ans.

– Rien ne m'a été dit auparavant à ce sujet . . . Comment

peux-tu t'approprier un bien qui n'est pas à toi et sans me prévenir encore! Quand j'ai eu besoin d'argent j'ai eu recours à ma mère, maintenant que ferais-je? J'en ai besoin . . .

– Je suis ton père, mes besoins doivent être satisfaits avant les tiens!

Oumar s'inclina sans mot dire. Il savait que son père avait raison et que lui, qui atteignait la trentaine, n'avait qu'à obéir. Au sein de son beau peuple, l'homme n'était pas encore majeur.

Après un long silence, le père reprit:

– Dieu te paiera. Tu ne sembles pas te réjouir de mon départ pour le lieu saint?

– Je . . .

Oumar se ressaisit à temps afin de ne rien dire qui pût déplaire à son père et, changeant de ton:

– Je suis très content que tu partes, puisque tel est ton désir.

– Toi aussi, tu pourras partir l'année prochaine, après la récolte. *Inch' Allah.*

– Je n'irai jamais là-bas! . . . Dieu se trouve partout, en nous, sur la terre qu'il a créée, dans le ciel, dans l'eau qui arrose nos champs, dans le soleil qui fait mûrir nos semences . . . Je n'irai jamais en cet endroit où il faut tout payer, même l'ombre des arbres qui n'appartient à personne si ce n'est au soleil . . . et pour le reste, n'en parlons pas . . .

– Ce que tu dis dépasse mon entendement; il n'est pas bon de chercher à savoir. Tu viens de parler comme un athée. Par le fait que tu es resté longtemps à Tougueul, tu es un être perdu pour le chemin de Dieu.

«Et toi, quand tu entreras au paradis, ferme la porte à double tour et avale la clé», se dit le fils lorsque le vieux Moussa se tut. Faye savait pourquoi son père l'avait appelé. Il est écrit dans le livre sacré «On ne part pas à La Macque sans la conscience tranquille.» Dieu lui-même a dit: «Je peux vous pardonner les affronts que vous me faites, mais les affronts que vous vous faites, il n'y a que vous qui puissiez les laver.»

– Papa, dit encore Faye, je crois en Dieu et le crains. Lorsque je suis seul, quelque chose de grand me préoccupe l'esprit. Je sais que Dieu doit exister . . . Sincèrement, père. – Il avait baissé la voix. – Sincèrement, il est bien que tu fasses ce pèlerinage . . . Je te demanderai seulement une chose . . . Oh! cela ne coûte pas beaucoup de drachmes . . . Regarde tous les pays que tu traverseras, observe bien les gens que Dieu mettra sur ton chemin, n'oublie pas, dans ta hâte, de lever la tête pour contempler les maisons et les mosquées, alors, père, tu verras des choses. Toutes ces choses ont été faites par la main de l'homme. Un grand toubab a dit: «L'homme c'est la conscience de Dieu.» Et, je trouve qu'il a raison.

– Fils, que Dieu te pardonne tes paroles. C'est Saïtané-Satan* qui te les inspire!

– Après ton départ, qui s'occupera de la maison? questionna encore Oumar.

– Tu es là et tes affaires vont bien, Dieu merci.

– Passe une bonne nuit en paix, dit alors le jeune homme, car il ne lui était plus possible d'écouter le reste.

Il retrouva sa mère qui se leva en le voyant entrer. Il lui demanda:

– Pourquoi ne m'as-tu jamais parlé de l'héritage?

– Ton père ne voulait pas. Il fait bien d'aller à La Mecque. J'espère que toi aussi tu partiras.

– Non, mère, n'y pense pas. J'ai pas besoin d'entrer au paradis. Je désire mon paradis ici, dit-il vivement en prenant sa femme par le bras.

Et ils sortirent dans la nuit.

3

Inlassablement la pluie tombait. Les plantes reprenaient leur vitalité et leurs couleurs; elles recouvraient tout. Les hommes devaient disputer ferme avec la nature pour garder la terre qu'ils avaient travaillée.

Oumar, comme l'année précédente, faisait de nombreuses incursions dans les champs. Sa popularité avait franchi les limites du territoire. Sa familiarité, sa simplicité et sa patience lorsqu'il conversait avec les paysans, avaient accru sa renommée. Mais son caractère devenait de plus en plus sec. Ayant la passion de la terre, son cœur se desséchait. Il mûrissait un projet. Chaque jour, son univers se rétrécissait. C'était comme un mal qui le rongeait. Il refusait de se confier à quiconque.

La vieille Rokhaya avait élu domicile à la Palmeraie et, dans toutes les pièces, on respirait l'odeur de son tabac. Durant le mois de jeûne,* les enfants de Fayène venaient cuisiner à la «petite maison» (dénommée ainsi par rapport à Fayène, où demeuraient les aînés). Pour eux, les deux maisons n'en faisaient qu'une, et il y régnait une grande animation. Parfois même, ils y passaient des nuits. Le jour de rupture du jeûne - la korité - ils partirent avec regret, car «Madame» les soignait bien. Puis aussi, on ne les grondait pas souvent. Quant à Moussa Faye, l'iman, il partit lui aussi quelques jours après la korité, pour la tombe de son prophète.

Et ce jour-là fut un grand jour, tous les disciples du Mecquois étaient venus l'accompagner. Dans tous ces visages, les prunelles brillaient de convoitise. Ils n'avaient pas dormi la nuit, gloussant, calculant, fouillant les recoins de leur pagne où ils espéraient trouver des sous qui les mèneraient à la Médina. Ils s'imaginaient des chemins pavés où étaient figées des vapeurs bleuâtres, conduisant vers la Kaâba. Ils se rappelaient les combats livrés par les disciples contre les idolâtres pour répandre la vraie foi . . . l'unique et réelle foi! Oh, c'est avec regret qu'ils évoquaient ces temps anciens, où sous la conduite du vénéré Mamadou Rasôli lâh, ils délogeaient les incroyants des mosquées . . . oh, comme il était doux de combattre pour son idéal, de savoir qu'on accomplissait un acte pour le bien du Tout-Puissant! Maintenant, ils n'ont plus cette chance. Il ne leur reste plus qu'à mourir d'envie de fouler ces lieux sacrés. Dans leur pitoyable existence ce voyage est tout. Ils jalousaient Moussa et pourtant ils se réjouissaient que le pèlerin fût de leur paroisse. Chacun demandait un souvenir, de l'eau de Zem-Zem,* une bague, un turban, des babouches . . .

C'est à cette époque qu'Isabelle et sa belle-mère finirent par apprendre à mieux se connaître. Rokhaya s'était découvert tout à coup un vrai penchant pour sa bru. L'enfant que portait la jeune femme devenait comme une partie d'elle-même. Superstitieuse, la vieille veillait et, chaque fois qu'il y avait du soleil, elles sortaient ensemble dans la forêt. Elle enseignait à la blanche les mille et une recettes de son savoir; c'est ainsi qu'Isabelle apprit à connaître les secrets des plantes, les feuilles pour les maux de reins, les herbes pour les maux de ventre, à reconnaître les traces d'un caméléon sur un fruit, les sillages laissés par les serpents, une sente abandonnée par les fourmis. Elle aussi sut discerner le sifflement d'une cigale de celui d'un boa, déceler les trous dans les grands arbres où les perroquets déposent leurs œufs: déterrer les ignames, distinguer les racines qui empoisonnent de celles qui sont bonnes pour les plaies, trouver les œufs de pintades, se cacher des singes de peur que son petit ne leur ressemble.

Ainsi les nuits s'enfilaient aux jours et les jours aux nuits, en une longue chaîne de vie.

Le cercle se trouvait au centre de la colonie européenne; construit en briques, c'était un bungalow très vaste avec un grand perron qui en faisait le tour. Son toit en tuiles rouges disparaissait dans les feuillages des cocotiers et un immense jardin, aux fleurs multiples, aux allées recouvertes de minuscules coquillages, entourait l'ensemble. Tout était conçu pour adoucir le séjour des blancs en terre africaine. De l'autre côté du jardin, deux terrains de tennis jumelés, un terrain de volleyball, un autre pour le basket. Quelques marches conduisaient à la véranda où des chaises longues s'alignaient comme dans un sanatorium. Le sol était carrelé jaune, noir et blanc.

A l'intérieur, le bar servait à la fois de salon et de fumoir pendant les averses. Le comptoir était fait de tiges de bambou, seule note «exotique» de ce demi-palace tropical. Aux murs blancs et jaunes, étaient accrochés des panneaux publicitaires de syndicats d'initiative, vantant les stations thermales et les villes touristiques de la métropole. A l'extrémité du bar, un pick-up était posé sur un tabouret et, pour compléter l'ameublement, il y avait en outre un ping-pong et un billard russe.

En fin de journée, les Européens se retrouvaient là. Ils étaient une trentaine dans la ville: les trois quarts commerçants, les autres fonctionnaires. La saison d'hiver était pour eux la plus dure. Les longues journées de pluie aiguisaient en eux la nostalgie de leurs climats d'origine, les rendaient amers ou apathiques. Ils se plantaient devant le paysage ruisselant, rêvant à quelques coins de France; à une fête champêtre sous un ciel bleu . . . Plus cette pluie durait, plus ils s'enfonçaient dans leur rêve. Ils n'extériorisaient même plus leurs sentiments. En eux se passaient des choses que chacun gardait pour soi. Parfois, l'un d'eux, trop faible pour tenir, se faisait porter malade pour être rapatrié. Ces «maladies» sévissaient surtout chez les fonctionnaires, car les commerçants, eux, avaient d'autres soucis.

La saison des pluies était pour eux le temps de la liquidation des marchés et aussi celui des nouveaux crédits. Ce crédit était leur grande affaire. Ils connaissaient la psychologie des paysans noirs et savaient que les prêts qu'ils consentaient étaient considérés comme des «gentillesses». Ils savaient aussi les risques qu'ils couraient et prenaient leurs garanties en conséquence. Les indigènes, eux, accordaient peu d'importance à l'affaire en elle-même; ils y voyaient surtout l'occasion d'un contact avec les «grands blancs». Ils trouvaient les grands blancs «gentils» et les petits blancs «mauvais», ignorant bien souvent que les petits ne faisaient qu'obéir aux ordres des grands.

Ainsi se côtoyaient deux mondes qui ne se comprenaient pas, qui vivaient sur la même terre, au rythme des mêmes saisons et qui ne pouvaient rien mettre en commun.

Pierre, tout ruisselant, entra dans le bar. Il secoua la tête et passa ses doigts dans ses cheveux trempés avant de saluer trois hommes qui jouaient aux cartes. Le barman noir, en veston blanc, lui sourit de toutes ses dents. Son front reflétait la lumière des lampes.

- Vous êtes attendu derrière, dit-il.

- Donne-moi d'abord un demi.

Par deux fois il vida son verre, puis se dirigea vers une porte que fermait un rideau. «Derrière», c'était la salle de conférence; une table entourée de chaises en occupait presque toute la largeur. Quatre hommes y étaient réunis. Chacun d'eux venait d'une ville du canton. C'étaient les «grands» de la Casamance. Pierre prit place à côté de celui qui semblait présider la séance, un homme chauve aux yeux soulignés de larges poches.

- . . . Comme je disais, continua l'homme chauve, tournant et retournant le stylo entre ses doigts, cette année, j'ai visité les champs à deux reprises. Si, au début, nous étions pessimistes, il n'y a plus lieu de l'être. Je reconnais que cette récolte ne sera pas comme celle de l'année précédente, mais nous nous en sortirons - peut-être un peu juste - et je ne pense pas que nous ayons des pertes. Attendons de savoir le prix du quintal.

- Crois-tu que si les indigènes nous payent leurs dettes il leur restera quelque chose à vendre? demanda celui qui était assis à sa gauche.

- Rentrons dans nos biens, pour le reste on verra.

- D'accord, mais n'oubliez pas que nous réalisons nos bénéfices non seulement sur l'intérêt des dettes, mais aussi sur les achats que nous font les indigènes. Il faut voir les choses en face. Les produits manufacturés doivent être vendus pendant la période de traite. Si nous renouvelons nos marchandises pendant cette période, ce n'est pas pour les donner à crédit, car nous prêtons en ce moment sur les plus-values de la récolte passée. Or que nous réserve l'avenir?

Un léger murmure d'approbation suivit ces paroles. L'orateur releva la tête, il avait touché juste.

- Il nous reste quatre semaines avant les récoltes, continua-t-il, et nous avons à étudier un autre problème qui, à mon avis, mérite toute notre attention. Je veux parler de ce jeune nègre marié à cette grue de blanche! L'année dernière, il a marché dans nos plates-bandes. Si j'en crois ce qu'on dit, les cultivateurs sont prêts cette fois à lui vendre leurs moissons . . . Vous voyez ce que cela signifie . . . Nicolas, je t'avais donné carte blanche pour nous fournir des renseignements sur son passé en France.

Le nommé Nicolas, un petit homme trapu au nez camus, tira de son portefeuille un papier qu'il déplia devant lui.

- Les renseignements pris à son sujet sont bons, dit-il. Il a fait la guerre vaillamment. Il a été décoré, démobilisé à Lille où habite sa marraine de guerre, une femme d'un certain âge dont le mari est mort au maquis. Cette femme est membre du parti communiste. Oumar Faye quitta Lille pour travailler à Paris, chez Citroën. Il était affilé à la C.G.T. et a suivi des cours de mécanique. Il connut Isabelle chez des amis progressistes. Il passait tous ses congés à l'étranger et a ainsi visité l'Autriche et l'Allemagne. Ses activités politiques ne sont pas connues. Mais, par certains propos recueillis, il paraît évident qu'il est antifrançais. Les parents de sa femme sont des gens sans foi. Un an après son mariage, il est arrivé ici: ils avaient en tout un demi-million de capital. Malgré tous les frais qu'il a engagés, il leur reste environ la moitié de cette somme. Or, il ne devrait pas leur rester un sou. Où prend-il l'argent? Je n'ai pu le savoir. Ils ne reçoivent de lettres que des parents de la femme. Oumar a pour maîtresse Désirée Séverin, la métisse.

– Tiens, tiens, mais c'est palpitant! dit Raoul en se frottant les mains. On voit qu'il a des idées subversives . . . Il n'y a pas de doute, c'est un bolcheviste. Les jeunes gens conspirent chez lui. Mais sur ce chapitre, Pierre va pouvoir nous dire ce qu'il sait.

Depuis son arrivée, Pierre n'avait pas ouvert la bouche. Il savait l'emprise que Raoul avait sur ses confrères. Pour ceux-ci, aucune concurrence n'était tolérable. Ils ne représentaient pas la loi, certes, mais ils en avaient le pouvoir. Pierre, depuis le temps qu'il était leur agent auprès des noirs, les connaissait bien.

– Oh! . . . moi, dit-il comme pour effacer son silence, je ne sais pas grand-chose de lui. Je suis allé chez lui pour affaire. Il nous a acheté la camionnette; sa vie privée ne m'intéresse pas.

Cette réponse inattendue attira tous les regards sur lui.

– Autre chose, intervint Nicolas. Faye a reçu, au début de la saison, des prospectus sur la navigation fluviale et aussi des catalogues pour des modèles de charrues. Chez lui, il y a des livres marxistes. Quelques-uns sont interdits ici. Je crois qu'il ne sera pas difficile de lui mettre le grappin dessus.* Faye est trop malin pour un noir, mais pas assez pour être un blanc.

– Nous ne sommes pas les autorités, déclara celui qui était assis à la droite de Pierre, en se grattant la barbe. A mon point de vue, nous ne pouvons rien contre lui, du moins directement. Il y a mieux à faire: c'est de gagner la confiance de quelques individus pour les dresser contre lui.

Cette proposition sembla plaire, à en juger par les hochements de tête qui l'accueillirent.

– Je peux dire un mot? demanda Pierre.

– Oui.

– Nous en sommes enfin à montrer nos vrais visages. Un seul homme nous tient en échec. Imaginez que demain ils soient des milliers! Depuis des années, je navigue de colonie en colonie, partout j'ai rencontré, à peu de chose près, le même désir chez les jeunes Africains . . . Nous avons trop l'habitude du vieux noir que nos activités laissaient indifférent. Ces vieux sont en voie de disparition, c'est cela que vous devez comprendre. Il ne suffit plus de dicter des lois, qui d'ailleurs ne sont pas des lois. Si vous ne voulez pas voir ce qui se passe autour de vous, si vous êtes trop fiers pour vous retourner, vous n'en avez plus pour longtemps, les difficultés se dresseront l'une après l'autre sur vos chemins . . . Savez- vous comment les jeunes nous appellent? Ils nous appellent «les ogres».

– Assez, cria le président. Tu dis des bêtises!

– Laissez-moi finir: nous ne les mènerons plus à la baguette! Ce bon vieux temps est mort. Votre orgueil vous empêche de voir la réalité, mais je parie que vous la sentez. Vous aurez beau essayer de vous donner la comédie,* vous savez très bien que le temps est venu de changer de méthodes.

– Assez, assez, répétaient-ils, martelant la table de leurs poings.

– La séance est levée, dit le président. Toi, Pierre, tu peux préparer tes bagages. Ton séjour ici t'a beaucoup influencé, tu as besoin de repos. Prends un congé.

– Hein! . . . Mais je suis ravi. J'ai pu vider mon cœur. Il y a longtemps que j'avais demandé mon rapatriement. On me l'avait toujours refusé!

Un silence se fit, puis un à un ils se levèrent et se dispersèrent dans le club, se joignant aux autres groupes.

Tout ce qui s'était passé au cercle ce soir-là fut connu dès le lendemain dans les différents quartiers de la ville.

4

«Papa» Gomis, ainsi que l'avaient surnommé les jeunes, par respect pour son âge et aussi parce que cela convenait à son allure débonnaire, avait accepté de rencontrer Oumar ce soir-là sur les quais. Il avait en effet l'habitude, sa journée de travail terminée, de faire un petit tour sur le wharf, pour récapituler les événements du jour et réfléchir un peu sur sa vie.

Papa Gomis avait élevé ses trois fils dans la religion chrétienne et, ce qui lui avait causé une grande joie, l'aîné était entré dans les ordres. Le cadet poursuivait ses études à Dakar; quant à Jean, il avait préféré demeurer au bercail et aider son père dans la boutique.

Jusqu'alors, l'existence de la famille Gomis s'était déroulée sans heurt. Bon an mal an,* le commerce rapportait de quoi nourrir tout le monde, et pour le reste, on acceptait de la vie ce qu'elle voulait bien donner. L'éducation reçue des missionnaires avait habitué Gomis à se confier à la Providence et, d'autre part, le chemin parcouru en une trentaine d'années sur la voie d'une réussite paisible ne l'incitait guère à souhaiter des bouleversements trop radicaux. Pourtant, lui aussi avait ses rêves. Alors qu'à son arrivée à Ziguinchor il n'y avait dans la ville aucune boutique à part la sienne, à l'heure actuelle il était bien toujours le seul commerçant noir - ce dont il tirait un certain orgueil - mais les comptoirs tenus par les blancs avaient prospéré autrement vite et de façon autrement importante que le sien.

Aussi Gomis s'était-il laissé séduire par les projets d'Oumar Faye. La hardiesse du jeune homme heurtait sa propre pusillanimité, mais en même temps l'attirait. Comment, il était là à peine depuis deux saisons de pluies et ne disait-on pas déjà que la moitié de la récolte prochaine serait à lui? Était-il donc vrai que les temps pouvaient changer, que son fils à lui, Gomis, pourrait un jour vaincre les appréhensions et les craintes qui avaient été siennes toute sa vie?

Assis sur le bord du wharf, les jambes pendantes au-dessus de l'eau, le vieux Gomis regardait sans le voir le vaste fleuve qui commençait à s'endormir dans l'obscurité. Des rires d'hommes et de femmes, l'œil fureteur d'une torche électrique, le tirèrent de sa rêverie. Oumar et Isabelle, Désirée suivie d'Agbo, Seck fermant la marche, arrivaient vers lui. Il entendit la voix joyeuse de Faye qui disait:

- Et maintenant, mes enfants, finie la plaisanterie, nous avons à parler de choses sérieuses.

Tous s'installèrent autour du vieux commerçant, les uns assis, les autres allongés. Isabelle s'étendit de tout son long sur les planches, sa tête reposant sur les cuisses de son mari.

Il y eut un assez long silence, que Gomis rompit le premier en disant:

- Ta femme est bien courageuse, Oumar. Quand prévoyez-vous l'accouchement?

- Au bon moment de la saison chaude et je pense faire venir sa sœur de France.

- Pour le baptême? interrompit papa Gomis. C'est une chrétienne? Vous baptiserez l'enfant à l'église.

- Je ne le crois pas, du moins nous n'en avons pas encore parlé.

- Donc l'enfant sera musulman?

- Non plus. L'enfant aura le nom que nous lui donnerons. Quant à la croyance, il sera libre de choisir à sa majorité.

- C'est un bon principe, intervint Seck.

Mais papa Gomis n'était pas de cet avis.

- Mes enfants, une foi est nécessaire. Elle nous guide. Une société sans une éducation religieuse, c'est une société d'animaux.

De nouveau il y eut un silence, et le vieux commerçant comprit que la coupure qui séparait les générations ne concernait pas seulement les méthodes de culture ou les principes du négoce.

Ce fut Faye, cette fois, qui rompit le silence. Sa voix avait pris un ton plus grave:

- Papa Gomis, dit-il, je ne suis pas venu te demander s'il vaut mieux être musulman, chrétien ou fétichiste. Je veux monter une ferme modèle dont tous profiteront et je suis venu voir si tu voulais t'associer avec moi. Il est important que quelqu'un de capable s'occupe des affaires. J'ai d'abord pensé à mon oncle, mais il ne comprendrait pas que je veuille l'embarquer dans cette direction.* Avant de venir te voir, j'ai parlé avec Jean: il est d'accord. Nous allons essayer de créer une coopérative agricole avec un bureau de vente qui sera responsable devant les cultivateurs et qui soutiendra leurs intérêts. Il ne faut plus que le prix du quintal nous soit imposé, il faut que nous puissions le débattre. L'année prochaine j'aurai deux charrues, ensuite viendra le tour d'un tracteur. Comme tu le sais, il est d'usage dans notre peuple que les vieux marchent en tête. Vous avez eu votre époque, vous ne devez pas seulement assister à la nôtre.

- Je suis très flatté, dit le vieux Gomis dont la voix tremblait un peu, mais il faudrait bien réfléchir, car ceux qui nous entourent ont des bras longs. Si je comprends bien, tu veux concurrencer les grandes boutiques?

Ce fut Agbo qui l'interrompit:

- Non, Papa Gomis, dit-il, il ne faut pas mal interpréter les paroles de Faye. Il a simplement trouvé, et je suis de son avis, qu'il serait bon de grouper tous les paysans pour pouvoir traiter avec les grandes boutiques, comme tu dis. La Casamance est le grenier du Sénégal, tout le monde doit pouvoir en profiter.

Seck intervint à son tour, sur le ton un peu doctoral qu'il employait lorsqu'il lisait une leçon de morale aux enfants de l'école:

– Papa Gomis, pardonne-moi ce que je vais te dire, car il y a encore autre chose que tu dois comprendre. Mon père, le père de Faye, toi et bien d'autres, vous n'êtes pas venus ici par amour des palmiers. Lorsque vous avez quitté vos villages pour les berges de la Casamance, c'était pour faire fortune. En ces temps-là, le père de Faye avait vingt-cinq pirogues; toi et ta boutique, vous étiez la coqueluche de la jeunesse. Nous autres, les enfants, nous étions fiers de vous. Mais maintenant le progrès est venu et ce n'est pas vous qui en avez profité: ta boutique est souvent à moitié vide, car les articles que tu étais seul à vendre, on les trouve maintenant ailleurs, plus beaux et moins chers. Le père de Faye n'a plus le monopole de la pêche. Mon père à moi reste emmuré dans son orgueil, il tient à faire partie de la vieille école. Allez-vous faire comme ces cultivateurs vagabonds qui vont à la recherche d'une nouvelle terre? Ce n'est pas en vous exilant que vous trouverez une solution au problème; il faut affronter le combat. Les comptoirs peuvent ne pas être les plus forts. Eux, ils attendent, toi, tu veux aller vers les paysans. Je crois que la proposition de Faye vient au bon moment.

Oumar avait écouté l'instituteur avec attention. Cette voix posée avait dit ses propres paroles et il en fut heureux.

– Tout ce que tu viens de dire est magnifique, dit le vieux Gomis en se voûtant un peu. Je te donnerai ma réponse incessamment, quand j'aurai parlé à Jean. Tu n'es pas pressé, Faye?

– Moi non, mais la pluie, elle, n'attend pas.

Une chouette traversa la nuit de son vol lourd. Le vieux se leva:

– Nous sommes jeudi, dimanche soir je vous rendrai visite. Et maintenant, je vous souhaite une bonne nuit, mes enfants.

La silhouette bonasse disparut vers la ville.

- Tu crois qu'on l'a mis dans le bain?* demanda Agbo.

- Je pense qu'il est touché, mais de là à vous dire ce que sera sa réponse, je n'en sais rien, dit Seck.

- Cet homme est paralysé par la peur et seul un événement capital le décidera.

C'est Isabelle qui venait de parler en se levant à son tour.

- Je pense que Seck l'a remué, mais je crois que c'est toi qui as raison, dit Oumar en prenant le bras de sa femme.

5

Isabelle et Oumar jouaient aux dames dans leur chambre. Dehors il pleuvait et sur les plaques de zinc les gouttes rythmaient leur énervante petite chanson. Faye n'était pas au jeu, il était préoccupé, car quelqu'un ayant été trop bavard, tout le pays ne parlait plus depuis deux jours que du projet de coopérative.

Or Faye connaissait les gens de son pays. Il savait qu'à ce moment même des milliers d'imaginations étaient au travail et il ne pouvait s'empêcher de participer à ce rêve qui était le sien. Les images que voyaient les hommes et les femmes de son peuple, il les avait vues tant de fois, il les voyait encore ce soir-là: tracteurs pétaradants tirant des charrues du matin au soir à travers la plaine; tout autour, la foule de ceux qui n'étaient pas encore initiés regardant avec des yeux avides. Les plus hardis s'approchaient, mesuraient le travail accompli en une seule journée par un seul homme et s'étonnaient. Lorsque le conducteur tournait au bout du sillon, la pointe acérée du soc apparaissait et cette lame coupante, luisante, polie par la terre, les fascinait comme un miracle. A regarder travailler les jeunes gars, on aurait cru qu'ils voulaient faire mal à la terre, la forcer. Déjà il n'y avait plus de friches, déjà avaient disparu les petites levées de mottes qui séparaient les parcelles. En trois jours, trois champs étaient labourés et ensemencés.

Et quand venait le moment du repos, les gens se rapprochaient encore. Ils s'agenouillaient devant le soc tout chaud, tout brillant. Ils mesuraient ses dimensions, le comparaient à leurs outils primitifs et hétéroclites. Ou bien ils prenaient une poignée de terre fumante, la pétrissaient dans leurs doigts, la portaient contre leur visage, car elle leur semblait avoir la tiédeur et la douceur d'une joue de vierge. Peu à peu la machine gagnait les cœurs les plus réfractaires. On avait assaini les marécages, irrigué les terres à riz, dégagé la brousse sur des lieues et des lieues, comblé les mares. Les soirs de moisson, avant d'aller chanter et danser, on ornait la machine d'une botte de riz, car il ne faut jamais oublier ceux qui vous ont aidé dans les durs travaux du jour . . .

Faye passa la main devant ses yeux; comme pour lui-même, il murmura: «C'est trop tôt, je voudrais bien savoir quel est le salaud qui leur a tout raconté.»

- Eh bien! mon ami, tu rêves? C'est à toi de jouer, dit Isabelle.

Oumar chercha en vain une ouverture, les pions qui lui restaient étaient bloqués partout.

- Je crois que j'ai encore perdu, dit-il.

- Parfaitement, et voilà ton compte depuis le début de l'année, dit Isabelle en dépliant un papier tout chiffonné; tu me dois 27 885 francs . . .

- D'abord, je suis fauché, ensuite tu es une tricheuse!

- Tu n'avais qu'à me surveiller. Tiens, demain, je te ferai quitte ou double!

- 27 885 francs, répéta Oumar en se déshabillant. Tu vas finir par tout me prendre, y compris ma femme!

- Ta femme, je n'en veux pas, avec le ventre qu'elle a, merci!

- C'est dommage, je te l'aurais laissée à moitié prix, ajouta Oumar en pinçant l'oreille d'Isabelle.

Puis il abaissa la mèche de la lampe et déplia la moustiquaire.

Bercé par la pluie sur le toit et le silence aidant,

Oumar exténué ne tarda pas à sommeiller.

– Demain j'ai envie d'aller à l'église, dit Isabelle.

– Han . . . quoi?

– Oui, Désirée veut m'y emmener.

– Han . . . Comme tu voudras . . . Qu'est-ce que c'est . . .

Depuis un moment, il leur semblait entendre des cris lointains. Maintenant, il n'y avait plus de doute, quelqu'un, là-bas, appelait au secours.

– Qui peut crier ainsi? demanda Oumar. Tu entends, toi?

Ils écoutèrent encore, toutes réflexions centrées vers ce cri.

– C'est vrai, on appelle, dit Isabelle, mais sous cette averse, qui ça peut-il être?

– Peut-être un dénicheur de gourdes qui a perdu l'équilibre . . . La semaine passée, on a volé des gourdes de dolo.

L'appel devint plus pressant. Il était impossible de dormir. Faye sortit du lit:

– Je vais voir. Peut-être y a-t-il eu un éboulement au moment où quelqu'un passait.

– Possible. Ton imperméable est en bas et tes bottes sont dans la cuisine.

– Eh bien! Avec trois femmes dans une maison . . . je suis servi . . . et ça vaut bien les 27 000 et je ne sais quoi . . .

– 27 885 francs, dit Isabelle.

Faye avait enfilé sa robe de chambre. Au rez-de-chaussée, il trouva Itylima qui ouvrait de grands yeux, la lampe à la main. Il la lui prit, la posa sur le socle.

– Tu as peur? de quoi?

– Il y a très longtemps qu'il crie. Et puis j'ai entendu des pas, dit-elle en tirant haut son pagne.

– Va te recoucher, ordonna-t-il tout en s'habillant. Où est ma mère?

– Je suis là, répondit Rokhaya de la pièce voisine. J'ai entendu des pas, des hurlements . . . on dirait quelqu'un de blessé.

– Pour une fois, ton savoir est impuissant, dit Oumar en français.

– J'ai rien compris de ce que tu viens de dire?

– Je ne te parlais pas, répondit-il en revenant de la cuisine, botté.

Il ferma la porte derrière lui. La nuit était noire comme le fond d'un gouffre. A l'aide de sa torche électrique, il évitait les flaques d'eau. Sorti de son domaine, il se laissa guider par les cris. «Il faudra que je mette une lanterne ici, juste à l'endroit du guet», pensa-t-il. Les gouttes de pluie, comme autant de fils de cristal, traversaient le faisceau lumineux.* Faye allait d'arbre en arbre, en s'enfonçant davantage dans la brousse. Il arriva au marigot, mais ne vit rien. Les cris venaient de la gauche; il fit un détour, franchit le guet et s'arrêta pour écouter. Il n'entendit plus rien, seule la pluie battante et la fuite de quelques bêtes dérangées dans leur sommeil.

– Ne crains rien, je ne suis pas le propriétaire, cria-t-il dans l'espoir qu'une réponse le conduirait à l'autre.

Mais il n'y eut pas de réponse.

– Merde, je ne suis pas fou pourtant, se dit-il.

Il fit encore quelques pas, orienta la lampe vers le sud. Il n'y avait que des palmiers. Il revint sur son chemin. De seconde en seconde, il s'immobilisait, balayant les troncs et les arbustes avec le jet de sa lumière, puis reprenait sa marche sur le sol détrempé.

Il y avait au moins une bonne demi-heure qu'il inspectait les buissons. Convaincu qu'il s'était trompé, il s'apprêtait à rentrer. Subitement, quelqu'un, par-derrière, lui porta un coup sur la tête. Au moment où il se redressait, il reçut un second coup sur l'épaule. Il voulut faire face, mais les coups redoublèrent, venant de deux côtés à la fois. Il eut la force de se ressaisir, s'agrippa à l'un des assaillants. Il avait les deux genoux à terre, se cramponnant toujours. Il entendit une voix qui disait:

– Il me tient! Frappe les bras!

Faye, sous la violence du coup, eut l'impression que son avant-bras droit éclatait. Il s'effondra et s'allongea sur l'herbe, la figure vers le sol. Dans un dernier sursaut convulsif, il essaya de tendre encore les bras. Alors ils le broyèrent de coups de pieds, le piétinèrent et l'abandonnèrent.

Faye rampa vers le ruisseau. Sa tête lui faisait mal, son corps n'était plus que douleur. La gorge et la bouche pleines de sang, il ne pouvait même plus articuler un son. Un moment encore, il se traîna . . .

Pendant ce temps, à la Palmeraie, Isabelle s'était recouchée. Mais ne voyant pas revenir son mari, elle se releva et alla réveiller la vieille Rokhaya et Itylima. Les trois femmes se consultaient des yeux. On n'entendait plus aucun bruit dehors.

- Je vais aller voir. C'est anormal qu'il reste si longtemps. Voilà plus d'une heure qu'il est parti, dit Isabelle.

La vieille lui retint la main et dit:

- Toi, malatte . . . beaucoup de l'eau . . . partir . . . moi.*

Avant de sortir, elle regagna sa chambre, bourra sa pipe tyrolienne et l'alluma. Isabelle la couvrit de sa cape de laine beige. Mais elle refusa les chaussures. Le cœur serré, la jeune femme la vit s'orienter vers le marigot, la lampe-tempête à la main.

6

C'était un dimanche matin, l'air sentait la fraîcheur d'une nuit de pluie. L'atmosphère était remplie de quiétude.

La place de l'église était encombrée de fidèles qui sortaient de la messe, chacun avec son livre de prières à la main. Les costumes variaient: certains étaient entortillés dans des pagnes, les autres portaient des complets aux couleurs vives; les femmes, les plus nombreuses, de longues robes de toile imprimée, les vieilles des camisoles qui leur tombaient jusqu'aux chevilles. Elles avaient une prédilection pour le satin noir qui retenait les reflets du soleil comme des cottes de mailles. Leurs cheveux blancs se cachaient sous des fichus déteints. Les enfants, sagement, prenaient la main des grandes personnes, mais entre eux, échangeaient des grimaces au passage.

Un grand nombre de paroissiens se dirigeaient vers le petit marché pour y palabrer. On s'entretenait de mille choses futiles. On se donnait des recettes, des nouvelles du dernier-né, on jasait sur le compte d'une fille qui, la nuit venue, avait rejoint son bon ami. Le petit marché était le lieu chéri de la médisance.

Les Gomis entraînaient avec eux toute une cour. Le chef de famille, aussi raide que son col empesé, avait à ses côtés son épouse en longue robe. Jean et Agnès suivaient. La jeune fille était vêtue d'une robe en crèpe de chine bleu clair. Elle parlait avec animation.

- Seck a bien sonné ton père, tu sais, hier soir, Faye n'avait fait que le secouer. Tu penses qu'il acceptera?

- Non. Ce matin, il m'a dit qu'il était âgé, que Seck avait dit vrai . . . Mais qu'il préférait sa vie assurée, répondit Jean Gomis.

- Mais . . . et toi?

- Moi? . . . Euh, j'obéis. Ma mère a passé la nuit à me sermonner.

- Ah! fit Agnès.

Désirée les rattrapa. Sa tignasse flottait comme la crinière d'un pur-sang.* Elle allait prestement, sa jupe ample laissant à ses fortes jambes toute leur liberté de mouvements.

- Hé, où cours-tu? lui demanda Gomis fils.

- Tu es trop curieux. Salut, Agnès!

C'est alors qu'ils virent arriver Agbo à leur rencontre, transpirant à grosses gouttes. Il s'arrêta devant Papa Gomis et lui parla à l'oreille. Le boutiquier montra un visage bouleversé. Le docteur s'adressa au groupe des jeunes gens.

- Faye a été tué cette nuit, leur dit-il.

- Tu mens! cria Désirée involontairement, en portant fébrilement ses doigts à sa bouche.

- C'est une grande douleur, certes, pourtant c'est la vérité. C'est dans mes bras qu'il a rendu son dernier soupir, dit encore le docteur.

Le sermon fut relégué au second plan des palabres, la mort de Faye passa de bouche en bouche. Les plus respectables des fidèles entouraient le boutiquier. Un masque de tristesse avait soudain envahi tous les visages. On se demandait . . . «De quoi est-il mort?» Se souvenant qu'il était encore là la veille, on n'en revenait pas. Le docteur reprit.

- C'est tout de suite après la pluie, la bonne - la petite Itylima - est venue me chercher. Elle m'a dit que Faye était blessé. En courant, je me suis rendu à la Palmeraie. Il y avait là Maman Rokhaya et Isabelle qui pleuraient comme des sources. J'ai vu Oumar couché sur le divan du salon, le sang coulait en quantité de sa bouche. Impossible de le faire parler. Il était déjà plus mort que vivant . . . Sa mère m'expliqua ce qui s'était passé dans la nuit. Elle l'avait trouvé aplati dans la boue. On ne sait pas combien de types se sont jetés sur lui. Et le plus ignoble, c'est qu'il était parti pour secourir quelqu'un, car ils avaient entendu des gémissements qui leur semblaient venir d'un blessé . . . Alors, on l'a littéralement massacré . . .

Par petits groupes, ils se rendirent à la Palmeraie.

Le tam-tam résonnait. Le rythme de ses grondements devint de plus en plus saccadé, de plus en plus envoûtant. Sa voix traversait les savanes, bondissant par-delà le fleuve où elle était relayée par un déchaînement semblable, envoyant à tous les échos le message de deuil.

Comme une marée montante, les gens arrivèrent à la Palmeraie, qui en bateau, qui à pied. La maison était bondée et la foule s'étendait jusqu'au bord du marigot. On se montrait «l'emplacement» où la vieille Rokhaya avait trouvé corps. Elle l'avait tiré jusqu'à l'entrée de la maison et les gens suivaient silencieusement, évitant de fouler les traces de ce calvaire. Parfois, quelqu'un dans la foule répétait pour la troisième ou la cinquième fois: «Pourquoi l'a-t-on tué?» ou bien demandait, convaincu d'avance qu'il n'y aurait pas de réponse: «Qui sont les assassins?» On se contentait de le gratifier d'un regard qui voulait dire: «Hé! frère valahi, nous n'en savons rien . . . Peut-être, avant de quitter ce lieu, le saurons-nous?»

Et la voix du tam-tam grondait toujours pour appeler les vivants et accompagner le mort.

Tous les riverains étaient présents, de la source de la Casamance aux confins de la brousse. Les *Mandiagues,* les *Aparides* étaient venus et jusqu'aux gens du pays des *Nipningues*. Le pouls de la ville avait cessé de battre. Une grande douleur la marquait.

Après l'enterrement, où chrétiens, musulmans, fétichistes, païens et athées s'étaient trouvés ensemble, tous revinrent à la Palmeraie. Seck, Agbo, Gomis, Diagne avaient porté leur camarade sur leurs épaules, Isabelle, en noir, marchait entre Désirée et Agnès. M. et Mme Gomis précédaient le flot humain qui venait derrière.

Isabelle rejoignit la maison. La vieille Rokhaya. assistée des femmes de sa génération et aidée de Seynabou et d'Itylima, s'occupaient des visiteurs.

– Je crois que l'instant est mal choisi pour vous entretenir . . . des . . . choses . . . dit le vieux commerçant qui avait accompagné la jeune femme.

– Non, Papa Gomis, répondit Isabelle.

De larges cernes bleuâtres ombraient le dessous de ses yeux. Un rictus de souffrance tirait ses lèvres. Ils étaient dans le salon et, à l'extérieur, le peuple attendait. Elle poursuivit:

– Si c'est de ses actes que vous voulez parler, je trouve qu'il vous appartient de prendre une décision. Je n'ai pas vécu très longtemps avec lui . . . hélas! Mais je sais que si j'étais à sa place, ce que je préférerais, je voudrais voir continuer ce que j'avais entrepris. Ce pays était le sien, ce peuple était sa raison d'être. Il aimait beaucoup la France, mais il préférait l'Afrique. Je ne suis des vôtres que par alliance et l'enfant que je porte . . . peut-être qu'il sera des vôtres, lui aussi. Si vous voulez me dire quelque chose, Papa Gomis, ne vous gênez pas. Ma douleur est à moi, mais la terre où il repose est à vous.

Confondu, le boutiquier baissa la tête, resta un moment silencieux puis vint sur la véranda. Il regarda tout ce monde; jamais il n'avait vu autant de gens rassemblés devant lui. Il tripota ses gants. La foule anxieuse tendait les oreilles. Le tam-tam avait cessé son chant de mort.

– Peuple, dit Gomis, on m'a chargé de vous remercier.

C'était la formule de politesse africaine. Le vieil homme choisissait ses mots.

– Mme Faye vous remercie et vous loue. Elle m'a demandé d'être son porte-parole. Nous sommes tous touchés de la douleur qui l'affecte. Elle aurait préféré vous dire elle-même ces phrases . . . mais elle reçoit avec sincérité vos condoléances . . .

L'assistance murmura. Quelques nuages couraient au bas du ciel, l'homme reprit:

– . . . Aujourd'hui, nous avons enterré un des nôtres, un fils de ce pays, frère des uns, cousin des autres, un ami, un conseiller, un guide. Il y a deux ans qu'il était arrivé ici avec sa femme. On avait cru à ce moment qu'il avait renié sa race, qu'il n'était plus comme nous . . . Eh bien! non. Faye nous est revenu comme s'il n'avait jamais quitté ce pays. Il nous a montré, malgré sa jeunesse, que nous sommes des hommes. Il disait à mon fils: «Ce n'est pas d'épouser une femme qui fait d'un homme un homme. Pour être homme, il faut lutter durement. Il faut arracher à toute chose son secret et le faire sien, pour le bien de tous . . .»

Il s'arrêta pour essuyer la sueur qui ruisselait sur son visage, puis il reprit:

– Vous savez tous que Faye voulait que vous vous unissiez. Et c'est pour cela qu'il a été tué. Il m'a dit avant d'être assassiné que quelques-uns parmi vous étaient au courant. Il faut que nous tous nous unissions nos forces. La terre est à nous, c'est l'héritage de nos ancêtres. Il nous appartient de l'arracher à ceux qui veulent s'en emparer. Car souvenez-vous de ceci: «Que le roi prenne tes fils pour aller faire la guerre ailleurs, ta femme t'en donnera; qu'il prenne ton troupeau, avec le temps, tu finiras par l'oublier, mais qu'il s'approprie tes terres, c'est qu'il veut ta mort . . . et celui qui veut ta mort ne se soucie pas de tes peines.»

Le boutiquier se tut. Il savait qu'il n'avait rien d'autre à dire. Il se retourna et chercha un moyen rapide de disparaître. Il vit Isabelle et serra la main de la jeune femme dans les siennes.

Le soir, le tam-tam battait toujours. La vieille Rokhaya, comme folle, se collait à sa bru. Il y avait un grand palabre familial. L'oncle Amadou, tant bien que mal, servait d'interprète.

– «Madame», pi-t-être retourner maison . . . papa, maman, Fransse . . .?

Pour la blanche, c'était l'instant le plus déchirant. Sa belle-mere, à ses côtés, pleurait. L'oncle poursuivait, essayant de son mieux de se faire comprendre.

– Maman Rokhaya . . . y a contente toi rester jusqu'à gagner pitit . . . Faye fils maman Rokhaya y en a mort . . . Toi, Madame Faye, pitit pour toi, pitit-fils pour Maman Rokhaya.*

Isabelle était désemparée. Ne lui en demandait-on pas trop? La vieille prit ses mains et dit à son tour:

– Madame, restez, gagnez pitit parti, voulant par là lui faire comprendre de demeurer jusqu'à son accouchement.

Les larmes aux yeux, le cœur débordant de douleur, Isabelle baissa la tête en signe d'acquiescement.

– Merci, «Madame», toi zentille femme.

Il n'en fallait plus davantage. Isabelle remonta en sanglotant dans sa chambre.

Oumar Faye, lui, était bien mort et gisait dans la terre. Mais les bras criminels qui l'avaient abattu s'étaient leurrés. Ce n'était pas la tombe qui était sa demeure, c'était le cœur de tous les hommes et de toutes les femmes. Il était présent le soir autour du feu et le jour, dans les rizières; lorsqu'un enfant pleurait, sa mère lui racontait l'histoire de ce jeune homme qui parlait à la terre et, sous l'arbre de palabre, on honorait sa mémoire. Oumar n'était plus, mais son «Beau peuple» le chantait toujours.

Il précédait les semences, il était présent durant la saison des pluies et il tenait compagnie aux jeunes gens pendant les récoltes.

NOTES TO THE TEXT

Page

79 **'la brousse précipitait l'avalanche de ses arbres qui se bousculaient avec fougue pour atteindre le fleuve':** 'the bush was triggering off an avalanche of its trees in a mad, jostling rush to reach the river'.

80 **'Le Douanier Rousseau':** Henri Rousseau (1844–1910). A celebrated French Primitivist, Rousseau was called 'le Douanier' because he worked for more than 20 years as a customs-officer. Many of his paintings depict exotic, fantasy landscapes, hence Faye's remark that he should have visited the Casamance River.

81 **'se fraya un passage au milieu des siens':** 'made a way for himself amidst his people'.

82 **'on va au devant de la défaite':** 'one is rushing headlong towards defeat'.

83 **'l'iman de la mosquée':** 'the iman of the mosque'. The iman is the religious official attached to a mosque who is responsible for its upkeep and who leads the faithful in prayer.

'le Coran': 'the Koran'. A holy book for Muslims, the Koran consists of revelations received from Allah through the Archangel Gabriel by the Prophet Mohammed. These messages formed the basis of

Mohammed's teachings and were gathered together shortly after his death. The book is now the basis of religious observance for Muslims.

84 **'Moussa Faye gouvernait sa barque a sa façon, jamais de disputes entre ses femmes':** 'Moussa Faye steered his boat in his own way, with never any quarrels between his wives.' Reference is made here to the system of polygamy, practised by some Muslims.

'l'arbre de palabre': a tree under which villagers gather to discuss events in village life. In past times, all major decisions affecting the village would have been debated here by the village elders. In this particular case, the chat is little more than gossip.

'dots': 'dowries'. When young people marry, the groom pays a dowry to the family of the bride. Strictly speaking, the dowry should be considered a gift but in some areas the system has degenerated and the amount paid is sometimes referred to as 'the bride price'.

85 **'Thisbar':** the word comes from the Wolof 'Tesbar' and is the name given to the midday prayer. Muslims follow a strict cycle of prayer, praying five times daily at certain fixed hours.

86 **'Saint-Louis':** a coastal town north of Dakar, Saint-Louis is situated on the Senegal River on the border with Mauritania.

88 **'griot':** 'Griots' are members of a low caste but have considerable influence in the community. They are a mixture of the poet, musician and tribal historian. In a pre-literate society, the griots assumed the task of learning by heart the history of the tribe, its rulers and outstanding individuals. They would be employed by rulers, or at village ceremonies to sing or recite past deeds. Working within an oral tradition, their role provides a vital link with the past. Cf. Camara Laye, (1978) *Le Maître de la Parole*, Paris, Plon. (Translated as *The Guardian of the Word*, Fontana, 1980.)

'muezzin': an official attached to a mosque whose duty it is to call the faithful to prayer at regular intervals of the day.

89 **'Être de Dieu':** literally 'God's being'. Muslims consider beggars as holy, and welcome the opportunity to share their food with them. Alms-giving was insisted upon by Mohammed as essential to secure salvation. In many countries today, Muslims give alms in the form of a tax.

90 **'s'était entourée de gris-gris, de cornes, d'amulettes et de racines':** 'had covered herself with lucky charms, horns, amulets and roots'. Rokhaya's superstition is in clear evidence here.

92 **'pilait le mil':** 'was crushing the millet'. Millet is the staple food of many Africans.

93 **'Il y a du feu dans la poudre?':** 'Is the powder alight?' Diagne is asking whether Faye's return has sparked off trouble.

98 **'Bonsour':** throughout the novel, Rokhaya and l'oncle Amadou speak a type of pidgin French, often faulty from a grammatical point of view as well as in pronunciation.

'Beaucoup solie . . . Madame, papa, mama, Fransse': Rokhaya is saying that Isabelle is pretty, and asking whether her mother and father are in France.

103 **'A.O.F.':** 'l'Afrique Occidentale Française'. French West Africa was formed in 1895 as the union of Senegal, Guinea, Ivory Coast, Dahomey, Upper Senegal and Niger.

104 **'c'est qu'il ne l'ait pas foutu a la flotte':** 'it's that he didn't chuck him in the water'.

106 **'tant que les hommes regarderont vers l'est':** 'as long as men look to the east'. Diagne is referring to Mecca, the centre of the Islamic religion.

108 **'part du voyage':** reference is made here to the tradition according to which a person returning from a

journey should distribute gifts to his family and acquaintances. Such gifts are their 'share of the journey'.

109 **'messan':** a deformation of 'méchant'

110 **'sentille':** a deformation of 'gentille' Notice also the mistaken gender of 'famille'.

113 **'Y a n'a frères?':**Moussa is trying to say, 'Vous avez des frères?'

116 **'en proie au mauvais oeil':** 'under the influence of the evil eye'. Mothers of young children are particularly fearful of evil influences upon their offspring. It is traditionally bad luck to praise children and acceptable to call them ugly.

119 **'maisson':** a deformation of 'maison'.

'pitit': a deformation of 'petit'.

120 **'A l'écart, trois piles de plaques de zinc attendaient là que fût prête la charpente du toît':** 'To one side, three piles of zinc sheeting were waiting for the framework of the roof to be made ready.'

121 **'croire et être empoisonné font deux':** 'believing and being contaminated are two completely different things.'

'il n'y a pas de vin dans la sauce': strict Muslims, like l'oncle Amadou, take no alcohol and could not therefore eat a sauce prepared from a wine base.

129 **'ma flamme':** 'the flame of love' This is a commonplace metaphor of French classical literature.

'vous parliez nègre': 'you were speaking negro.' The word 'nègre' does not have the insulting, derogatory connotations for blacks that the English word 'negro' has. 'Parler petit nègre' is a common French expression, often used of young children, meaning to speak pidgin or garbled French.

143 **'Il faisait la chevelure de ses arbres; la chair de sa terre; les os de ses pierres':** 'He fashioned the hair out of its trees; the flesh out of its soil; the bones out of its rocks'.

146 **'une haute barrière flamboyante lançait des flèches de soufre dans le saignant vif de l'horizon':** 'a high, blazing mass of cloud was projecting arrows of sulphur into the blood-red gash of the horizon'.

151 **'le murmure des hautes cimes avec les notes basses des cocotiers et des roniers que bousculaient la rafale':** 'the murmur of the high tree-tops with the low notes of the coconut palms and the roniers, shaken in the gusts of wind'.

157 **'en Syrie':** Syrians have a reputation for their cruelty. They are typefied here as the archetypal slave-drivers.
'excision': a type of female circumcision.

161 **'Malatte':** a deformation of 'malade'. See also pp. 179 and 250.

164 **'aller trop vite en besogne':** 'to be over-hasty'.

167 **'Moi, je leur foutrais mon poing sur la gueule':** 'Personally, I'd give them a belt round the ear.'

171 **'Guidé par la fille qui jouait des coudes et des bras pour éviter d'accrocher sa robe':** 'Guided by the girl, who was using her elbows and arms to avoid snagging her dress'.

179 The gist of Rokhaya's speech here seems to be a complaint that Oumar Faye does not visit his parents often enough. His apparent lack of concern for his family leads her to liken him to a dog.

180 **'le kola':** a bitter tasting nut which is used on all important social occasions throughout West Africa. Apart from its widespread general use, it is offered to distinguished guests, shared out at weddings, funerals and other village ceremonial occasions. The sharing of kola symbolizes mutual good-will.

193 **'Malgré l'appel des mères, la marmaille courait vers la grande place en emportant qui une botte de paille, qui un fagot':** 'In spite of the calls of their mothers, the kids were running towards the main square,

some of them carrying bales of straw, some of them bundles of wood.'

206 **'enraciné au plus profond de son être, l'orgueil le tenaillait':** 'rooted deep down in his being, pride held him in its grip'.

216 **'les cuisait comme une plaque chauffée à blanc':** 'baked them like a white-hot sheet of metal.'

221 **'je ne le quitterais pas d'une semelle':** 'I wouldn't let him out of my sight'.

223 **'le kadiandou, le koco ou le dramba':** different types of agricultural implement used in West Africa.

226 **'couser':** a deformation of 'coucher'.

231 **'la Kaâba':** the Kaba is a shrine at Mecca. It predates Mohammed but has remained an object of worship to Muslims. Inside the shrine is a black stone, said to have been received by Abraham's son, Ishmael, from the angel Gabriel.

233 **'Saïtané-Satan':** the devil.

234 **'le mois de jeûne':** Ramadan: a month of fasting in the Islamic religious calendar.

235 **'l'eau de Zem-Zem':** the well of Zem-Zem is located near the Kaba. Zem-Zem water is considered to be holy.

239 **'il ne sera pas difficile de lui mettre le grappin dessus':** 'it won't be difficult to get our hands on him'.

240 **'Vous aurez beau essayer de vous donner la comédie':** 'It won't do you any good trying to fool yourselves'.

241 **'Bon an mal an':** 'Year in year out'.

243 **'il ne comprendrait pas que je veuille l'embarquer dans cette direction':** 'he wouldn't understand that I want to lead him in this direction'.

245 **'Tu crois qu'on l'a mis dans le bain':** 'Do you think we've convinced him.'

249 **'comme autant de fils de cristal, traversaient le faisceau lumineux':** 'passed, like so many cristalline

threads, through the beam of light'.

250 See note to p. 161. Notice once again the inaccuracy of Rokhaya's French, when she says, 'beaucoup de l'eau' instead of 'beaucoup d'eau'.

252 **'Sa tignasse flottait comme la crinière d'un pur-sang':** 'Her hair flowed behind her like a thoroughbred's mane.'

256 The gist of l'oncle Amadou's speech here is a request by Rokhaya that Isabelle should remain in Africa until the child she is expecting is born. He reminds her that the loss of Faye is also Rokhaya's loss, and that the child she will bring into the world will also be her grandson.